우울증이 희망으로 바뀌는 순간

우울증이
희망으로
바뀌는 순간

신윤경 지음

복음의 위대함

'어떤 몸부림을 쳐도 상황을 바꿀 수 없다는 것을 인지하는 순간, 미래에 대한 모든 기대를 접게 된다.' 학습된 무기력의 개념을 이렇게 정리했던 마틴 셀리그만은 '그렇다면 낙관도 학습될 수 있지 않을까?'라고 생각한 끝에 학습된 낙관주의를 주장하며 긍정심리학의 문을 열었습니다. 기존 심리학이 부정적 상황의 치유를 연구하는 부정 심리학이라고 볼 때, 긍정심리학은 치유가 아닌 행복과 번영을 목표로 하며 심리학의 새로운 차원을 열었다고 합니다.

그러나 그 '관(觀)1)'을 변화시키는 것이 인생과 운명을 바꾸는 키라면, 복음이 아닌 답은 결국은 다른 복음이 될 수밖에 없습니다. 그러나 복음을 가진 이들이 심리학의 양쪽을 보며 정확한 답을 제시할 수 있다면 학문의 흐름을 바꿀 수 있지 않을까 생

---

1) 세계관을 뜻함. 어떤 지식이나 관점을 가지고 세계를 인식하는 방식이나 틀.

각합니다.

저도 과거에 우울증과 자살 충동의 완전한 절망 속에 있던 적이 있었습니다. 그러나 한 전도자를 통하여 마태복음 16장 13~20절 속에 담긴 그리스도의 의미에 대해 듣게 된 순간, 내가 불신자 상태 속에 있음과 그것보다 더 근본적 문제인 원죄 상태에 있음을 알게 되었습니다. 그리고 그 근본 문제를 해결하신 그리스도를 알게 되자 영접과 구원과 신분, 권세가 이해되었습니다. 그 순간, 내가 구원을 받았는지에 대한 고민이 해결되고 사탄의 역사를 꺾을 능력이 나에게 있음이 확인되었습니다. 또한 전달해야 할 메시지가 무엇인지, 전도가 무엇인지도 이해되었습니다.

이때부터 생명 운동이 일어났고 영적 치유가 시작되었습니다. 그 후로 하나님이 나에게 주신 전도 표제인 '영적 문제 치유'를 중심으로, 복지 사역에서 '서밋 사역(엘리트 영적 문제 치유)'으로 방향을 바꿔 하나님이 이끄시는 새로운 각인, 뿌리, 체질의 인생을 걷고 있습니다.

이 일의 증인인 신윤경 집사의 책, 『우울증이 희망으로 바뀌는 순간』을 영적인 문제로 시달리는 이들에게, 자신의 인생길을 찾지 못한 이들에게, 또 현장에서 고통받는 영혼들을 치유하는 치유 사역자들에게, 급증하는 영적·정신적 문제를 해결하고 학계의 흐름을 바꿀 렘넌트들에게 추천합니다.

조심스러운 것은 이 책이 다른 방법, 다른 복음으로 취급되지 않기를 바랍니다. 정확한 복음의 이해는 개인의 과거 문제를 하나님의 계획 속에서 볼 수 있는 눈을 열게 되는 것이고, 암담한 인생 미래가 열리는 경험을 하게 되는 것일 뿐, 그 어떤 다른 방법으로도 구원의 축복을 대치하지는 못합니다. 그렇기에 그 복음에 눈이 뜨일 수 있도록 안정화와 객관화를 이루는 일기를 쓰고, 문제의 본질과 확장을 위한 독서도 하는 것일 뿐입니다. 군대 귀신이 떠난 한 영혼을 통해 데가볼리 전체에 복음이 증거된 것처럼 증인 문서를 통해 복음의 위대함이 증거되기를 소원합니다.

마하나임교회 | 정명서 목사

들어가며

치유에서 서밋으로 가는 인생 전환점

2022년 5월, 제 인생의 첫 책인 『우울증이 희망으로 바뀌는 순간』을 출간하며 아쉬움이 남았습니다. 그래서 소소하게 교회 책장에 몇 권 꽂아놓고 전도 자료로 활용했습니다. 그랬을 뿐인데 2년 동안 많은 만남과 일들이 연결되었습니다. 하나님의 뜻에 방향만 맞추고 있었는데 여전히 부족한 제 수준과 상관없이 하나님께서 모든 것을 직접 이끌어가심을 체험한 것입니다. 그래서 그동안의 과정들을 후대를 위한 자료로 남기기 위해 올해 초에는 『미래 살릴 렘넌트 서밋을 키우라』를, 이번에는 『우울증이 희망으로 바뀌는 순간』의 개정증보판을 내게 되었습니다.

초판에서도 강조했지만, 이 책은 정말 '갈급한' 분에게만 권합니다. '한번 읽어 볼까.' 하는 마음으로 읽으면 시간 낭비입니다. 아무리 몸부림쳐도 해결되지 않는 답답함 속에서도 '나는 이 상태를 벗어나고 싶다.'라는 간절함이 있어야 도움이 되실 겁니다.

저는 30대 중반까지 무기력한 삶을 살았습니다. 유명 대학원에 다닐 때는 우울증으로 결국 휴학을 했습니다. 직장에서는 기대에 못 미치는 연봉과 차별 대우를 겪었지만 돈 때문에 퇴사하지 못했고, 집안 문제는 혼자 끙끙대다가 결국 포기했습니다.

문제에서 벗어나려고 모든 노력을 해 봤습니다. 친구들과 만나 스트레스를 풀어보려 했지만, 집에 돌아와 혼자가 되면 문제는 여전했고 공허했습니다. 규칙적인 운동도 도움이 되지 않았습니다. 심리 상담은 우울증에 걸린 사실을 알려줬을 뿐, 근본적인 문제를 해결해 주진 않았습니다. 진퇴양난의 상황에서 딱 죽고 싶었지만, 죽을 용기도 없어 간신히 버티고 있었습니다.

그러던 어느 날, 인생 전환점을 맞이했습니다. 정명서 목사님의 권유로 <나의 다메섹>을 써 보고 평생 시달렸던 나의 과거를 객관적으로 보며 재해석하게 된 것입니다. 그러자 바울이 말했던 '나의 복음, 나의 그리스도'라는 말이 진짜 이해되었습니다. 상처에서 빠져나오게 되니 희망을 품고 미래를 준비하며 도전할 수 있었습니다. 과거에는 문제가 생길 때마다 흔들렸지만, 이제는 어떤 문제가 생겨도 '왜 하나님께서 이 문제를 나에게 허락하셨을까?'라며 질문할 수 있게 되었습니다. 더 나아가 내 과거에 감춰져 있던 '나만 할 수 있는 평생의 사명'도 찾을 수 있었습니다.

이 책은 단지 우울증을 해결하자는 것이 아닙니다. 치유뿐 아니라 치유 이후의 삶까지 설계해 나가는 것에 중점을 두고 있습니다. 그래서 혹시 자신의 삶과 미래에 확신이 없어 불안하다면, 제가 실천했던 미션들을 실천해 보시기 바랍니다. 미션 수행 과정에서 여러분도 '나의 그리스도'를 발견하고 과거를 재해석하게 된다면, 그 순간이 바로 모세의 호렙산이나 바울의 다메섹과 같은 여러분만의 인생 전환점이 될 것이고 남은 미래는 재창조될 것입니다.

끝으로, 가장 위기의 순간에 그리스도를 만나게 도와주시고 언약의 여정을 갈 수 있도록 지도해 주시는 정명서 목사님과, 저를 동생처럼 딸처럼 아껴주시는 신영희 사모님께 감사드립니다. 많은 문제, 갈등, 위기에도 우리 가정이 전도자의 대열 속에 서도록 인생 결단을 하신 부모님, 신정식 목사님과 홍인숙 사모님께 감사드립니다. 정확한 타이밍에 전도자를 연결해 준 오빠 신동훈 목사님과, 교육 사역의 동역자인 김지현 사모님, 조카 시언이에게 감사합니다. 무엇보다도, 부족한 저를 이끄셔서 나만의 언약의 여정을 갈 수 있도록 힘주시는 하나님께 최고 영광을 돌립니다.

렘넌트 서밋 메이커 | **신윤경**

차례

Chapter 1. **대물림된 우울증을 끝내는 방법**

Chapter 2. 나 같은 자, 그 사람을 살려야 해

Chapter 3. 〈나의 다메섹〉의 진짜 의미

Chapter 4. 〈나의 다메섹〉 실천편

Chapter 1

대물림된 우울증을
끝내는 방법

우울증이 위험한 이유는 죽고 싶다는 생각이
들어서가 아니라 '죽어도 상관없겠다'라는 생
각이 들게 만들기 때문입니다. 즉 삶의 의욕
을 완전히 잃어버린 상태가 된 것입니다.

제1화

삶이 **무기력**해? 이미 **우울증**이네

우울증에 걸렸는지도 모르는 사람들

지금 여러분의 삶은 어떤가요? 하루하루가 소중한가요, 아니면 매일 매 순간이 답답한가요? 삶에 의욕이 없고, 미래가 불투명해서 한숨만 나온다면, 우울증을 의심해 봐야 합니다.

한번은 직장 동료 두 명이 술을 마셨는데 안주가 상해서 배탈이 났습니다. 그래서 다음 날 결근을 하게 되었고 근태 문제가 불거져 둘 중 한 명은 권고사직을 받게 되었습니다. 저와 친했던 동료는 평소 상사가 좋아하는 직원이어서 다행히 경고로 그쳤지만, 제가 보기엔 그의 삶이 위태로웠습니다. 왜냐하면 그의 아내는 술을 좋아하지 않는 사람이었고 자기 남편이 술 마시는 것을 못마땅해했기 때문입니다. 다음 날, 저는 그 동료와 대화를 나눴습니다.

"○○씨가 경고를 받은 것에 그쳤다 하더라도, 당장 술을 끊어야 해요. 아직은 젊어서 괜찮다고 생각할 수도 있겠지만, 이런 상황이 계속되면 언젠가 알코올 중독이 될 수 있어요. 그렇게 되면 결혼 생활에 위기가 오고 스스로 무너지는 날이 옵니다. 그 이후에는 우울증도 오고 정상적인 생활이 불가능해질 것입니다. 이번 일을 계기로 이제부터 삶의 방식을 바꿔야 해요."

그리고 제 우울증 경험담을 이야기해 주면서 이 상태가 얼마나 심각한 것인지 알려 주었습니다. 이야기를 한참 동안 가만히 듣던 그는 마지막에 제게 이런 말을 했습니다.

"얘기를 들어보니까 저도 우울증이었던 거 같아요. 제가 예전에 혼자 살 때 힘드니까 매일 밤 반주를 마셨거든요. 그런데 어느 날 보니 빈 소주병이 큰 식탁의 절반을 차지할 만큼 쌓여 있더라고요. 그렇게 쌓일 때까지 술을 마셨다는 걸 몰랐어요."

우울증은 정상 상태가 아니다

술을 많이 마셔서 우울증이라는 말이 아닙니다. 술은 마실 수도, 안 마실 수도 있습니다. 그러나 술을 마시지 않으면 잠이 안 오는 상태 그 자체가 우울증입니다. 우울증의 증상은 다양합니다. 밤에 잠을 못 자는 경우도, 미친 듯이 잠만 자는 경우도 있습니다. 온종일 누워있는 사람도 있고, 온종일 나가서 돌아다녀야 하는 사람도 있습니다. 우울증 때문에 밥을 못 먹는 사람도, 또는 미친 듯이 먹는 사람도 있습니다. 이렇게 우울증의 증상은 극단적인 형태로 나타납니다.

제 경우에는 우울한 감정을 잊기 위해 잠을 자는 유형이었습니다. 잠을 자는 순간에는 그 우울한 느낌에서 벗어날 수 있었기 때문입니다. 사람을 만나는 것도 스트레스였습니다. 활기차 보이는 친구들의 삶이 부러웠지만, 한편으로는 나와 너무 비교되어서 어느새 친구와의 만남도 즐겁지 않아졌습니다. 그래서 퇴근하면 밥 먹고 자는 것이 일상이었습니다.

가족과 같이 살 때는 우울증이 드러나지 않았습니다. 가족들과 부대끼며 사니까 마음은 우울해도 겉으로 드러나지 않아서 저 스스로 인지하지 못했습니다. 그런데 혼자 살게 되자 바로 본색이 드러났습니다. 초반에는 전과 비슷했으나 혼자 있는 시간이 많으니까 부정적인 생각들이 커지기 시작했습니다. '나는 왜 이 모양일까, 내 삶은 왜 이럴까, 나는 언제쯤 나아질까…'

별별 생각이 다 들면서 이런 구질구질한 삶이 영원히 끝나지 않을 것 같다는 느낌도 받았습니다.

누군가 이런 말을 했습니다. 우울증이 위험한 이유는 죽고 싶다는 생각이 들어서가 아니라 '죽어도 상관없겠다.'라는 생각이 들도록 만들기 때문입니다. 즉 삶의 의욕을 완전히 잃어버린 상태가 된 것입니다. 그래서 혹시 이 말에 공감이 된다면, 여러분도 우울증일 수 있습니다.

제2화

우울증은 **쉽게 해결되지 않아**

/

심리 상담은 나를 더 비참하게 만들었다

30세가 되던 해에 대학원에 들어갔습니다. 인생이 제대로 풀리지 않는 것이 전공과 학벌 때문인 것 같아 인생을 바꾸기 위해서였습니다. 미래가 불투명하니까 혹시 대학원에 가면 달라질까 싶어 선택한 길이었는데, 운 좋게도 서울대 대학원 석사 과정에 입학할 수 있었습니다.

당시 제 심리가 불안정했는지 저도 모르게 심리학으로 마음이 끌렸습니다. 그래서 심리학을 선택했는데 막상 대학원을 가 보니 생각한 것과 너무 달랐습니다. 입학 전 오리엔테이션에 참석하여 제 또래의 박사 과정생들의 논문 준비 발표를 듣다가 교수님의 지시로 질문을 하게 되었습니다. 그런데 그 질문이 하필 그 논문의 설계가 잘못되었음을 짚는 질문이었습니다. 교수님은 저를 칭찬하셨지만, 그로 인해 저보다 겨우 한 살 많은 박사 과정생한테 1년간 심리적인 괴롭힘을 당했습니다.

그런데 선배의 괴롭힘 못지않게 힘들었던 것은 진로였습니다. 제 미래의 모습이 될 박사 과정생들을 보았을 때, 그들의 미래도 불투명해 보였기 때문입니다. 인구수 감소로 학교 수와 교수 자리도 줄어드는 것이 현실이었습니다. 제 전공실의 1호 박사 선배도 몇 년 동안 교수 임용에서 떨어지고 있었습니다. 그런데도 박사 과정생들은 매일 스타크래프트 게임을 하거나 술을 마시면서 석사 과정생들을 술자리에 불러냈고, 거절하면 윽박지르거나 비아냥댔습니다. 어떤 분은 박사과정 중에 학업을 관두고 고깃집을 차리기도 했습니다.

교수님도 길을 알려주지 않았습니다. 농담인지 진심인지 알 수 없었지만 석사 과정생들한테 '석사를 해도 미래는 없다.'라고 말하기도 했습니다.

풀리지 않는 미래 문제에 더하여 경제 문제까지 저를 괴롭혔습니다. 직장을 다니는 동안은 제 수입으로 가계를 유지하고 있었는데, 대학원에 들어가 수입이 없어지자 경제적으로 큰 부담감이 찾아왔습니다. 학비, 책값, 학회비, 논문 비용, 교수 선물, 선배 선물, 연구실 비용, 식비, 교통비 등 숨만 쉬어도 돈이 나가는데 가정 경제, 교회 경제까지 연쇄적으로 무너지니까 딱 미칠 것 같았습니다.

대학원 진학 한 달 만에 대학원에 대한 환상이 모조리 부서졌습니다. 그래도 일단 들어왔으니 우직하게 하다 보면 나아지지 않겠나 싶어 억지로 석사 1년을 버텼습니다. 그러던 중 한 지인이 '심리학을 공부한다면 심리 상담사를 한 번쯤은 만나 봐야지 않겠냐.'라며 소개해 주셔서 난생처음 심리 상담을 받게 되었습니다.

심리 상담을 받으러 가기 전까지 저는 제가 우울증인지 모르는 상태였습니다. 그래서 상담사를 만나 무슨 얘기를 하나 싶었는데, 막상 상담을 시작하자 이런저런 문제들을 털어놓게 되었습니다. 그러다 결국 감정이 복받쳐 눈물도 흘렸습니다. 그런데 마지막에 상담사의 말 한마디에 저는 기분이 상해버렸습니다.

"지금까지 이야기를 다 들어보니까, 윤경 씨는 우울증이네요. 가정에서 받은 스트레스가 상당한데, 그냥 끊어 버리세요. 눈 딱 감고 말하세요. 그렇지 않으면 아무리 진로 고민해도 소용없습니다. 그 문제부터 풀면 다른 건 해결됩니다."

그 말을 듣는 순간, 너무 화가 나서 욕이 나올 뻔했습니다. '뭐, 내가 우울증이라고? 눈 딱 감고 말하라고? 그게 쉬우면 내가 이 고생을 하나! 상담사면 말을 그따위로 해도 되냐!' 차마

입 밖으로 꺼내진 못했지만, 속에서 분노가 치밀었습니다. 그 상담사가 꼴도 보기 싫어져서 얼른 나왔습니다. 어디서 같잖은 놈이 우울증이네 마네 하는 것이 화가 났습니다.

그런데 막상 집으로 오는 지하철에서 저도 모르게 계속 눈물이 흘렀습니다. '내가 우울증에 걸린 게 맞는 것 같다….' 인정하고 싶지 않았지만, 상담사의 말에 반박할 수 없었던 내 모습이 너무 처량하고 비참해서 화가 났습니다. 한편으로는 말도 안 되는 해결책을 주는 상담사도 이해되지 않았습니다. '내 우울증도 해결하지 못하면서 심리학이나 상담을 공부하는 것이 말이 안 된다. 상담사가 된다 해도 나 역시 저런 상담사가 되면 어떡하지?' 하는 생각이 들었습니다. 여러 가지 문제로 휴학을 고민하던 차에 그 상담이 계기가 되어 결국 휴학을 결정했습니다.

지금 생각해보면 그 상담사는 보이는 그대로 필요한 말을 했을 뿐인데, 제 상태가 그 말을 받아들일 수 없는 상태였다는 것을 나중에서야 깨달았습니다. 마지막 남아 있던 자존심이 그것을 허락하지 않아서 화가 났던 것이지요.

당장은 나은 것처럼 보여도 나은 게 아니다

우울증은 쉽게 말하면 '인생을 포기한 상태'입니다. 무엇인가에 대해 도전하고자 하는 의욕, 즉 삶의 의욕을 모두 잃어버린 상태입니다. 이런 포기 상태가 왜 찾아올까요? 삶의 이유가 없거나, 잃었거나, 잘 모르면 사소한 실패를 뛰어넘지 못하고 인생을 포기하게 됩니다.

상담 이후에 6개월 정도 쉬다가 전 직장 동료의 연락을 받고 서울로 올라와 취직했습니다. 일을 다시 시작하자 당장 경제 문제가 풀려서 숨통이 약간 트였습니다. 그리고 일도 나름 재미있었고 직장 동료와의 관계도 즐거웠습니다.

그러나 2~3년이 지나자 서서히 우울증이 다시 나타나기 시작했습니다. 상사의 업무처리 방식이나 회사 처우에 대한 불평, 불만이 하나둘씩 쏟아지고 있었습니다. 오래된 가정 문제, 경제 문제 등 쳇바퀴 같은 문제들은 여전히 사라지지 않았습니다. 내가 아무리 열심히 살아도 이런 구질구질한 삶이 끝나지 않을 것 같다는 느낌이 또 들기 시작했습니다.

결국, 교회도 갈 수 없는 상태가 되었습니다. 주말이면 집안일을 하고 밥을 먹고 잤습니다. 자려고 누우면 온갖 잡생각들 때문에 눈물도 흘렸습니다. TV를 보며 웃다가도 금세 허무해졌습니다. '오늘도 이렇게 하루가 갔구나. 자다가 죽었으면 좋겠다.'라고 생각하면서도, '나 혼자 사는데 내 시체가 너무 늦게 발견되면 어쩌지…' 하는 쓸데없는 생각도 들었습니다. 회사에도, 가족에게도, 친구에게도 티를 내지 않으려 하다 보니 제 영혼은 서서히 죽어 가고 있었습니다. 아무리 우울증에 운동이 좋다고 해도 저한테는 소용없었습니다.

습관성 우울, 각인된 우울

우울증은 습관에 가깝습니다. 즉 우울해지는 습관입니다. 어떤 상황이 와도 습관적으로 우울 상태가 됩니다. 특히 혼자 있을 때 그렇습니다. 우울한 생각을 24시간 하면 생각이 체질로 바뀌어, 마음에 조금이라도 거리끼는 일이 생기면 자동반사적으로 우울해집니다. 그래서 우울한 상태에서 쉽게 빠져나오기가 어렵습니다. 여행을 가거나 맛있는 음식을 먹고 기분이 좋아져도 우울한 증상이 잠깐 완화된 것일 뿐, 우울증이 없어지진 않습니다. 우울증은 내 생각이나 마음속에 잠복하고 있다가 다시 비슷한 상황이 오면 자동으로 우울 스위치가 '딱!' 하고 켜집니다.

사람은 무엇인가를 계속 반복하면 각인이 됩니다.[2] 감정적으로 연결된 생각은 특히 더 강력하게 각인되어 트라우마처럼 계속 따라다닙니다. 특히 어렸을 때 각인된 것들은 완벽하게 고착

---

2) '제4화 우울증에서 진로를 발견하다' 참고

됩니다. 혹시 여러분이 어릴 때 겪은 사건이 아직 상처로 남아 있나요? 아이러니하게도 실제 사실과는 다르게 상당히 왜곡된 채로 기억을 떠올리게 되는데, 그때의 감정만은 그 일을 떠올릴수록 더 생생해지

고, 증폭됩니다. 곱씹으면 곱씹을수록 불만, 불평, 분노가 자라납니다.

많은 사람이 눈에 보이는 것을 중요하게 여기지만 실제로는 눈에 보이지 않는 것들이 더 중요합니다. 보이지 않는 생각, 마음, 그리고 영혼의 중요성을 간과합니다. 그러나 보이지 않는 부분들이 망가지면, 신체도 순식간에 망가집니다. 그래서 우울증에 걸린 사람치고 신체적으로 건강한 사람이 없습니다.

제3화
나의 **우울증 극복** 스토리

바닥에 닿아야 올라올 수 있다

 서서히 시들어가던 어느 날, 친오빠로부터 전화가 왔습니다. 제 상태가 이상하다는 것을 감지한 오빠가 참다못해 먼저 말을 꺼낸 것입니다. 오빠는 예전부터 친분이 있었던 정명서 목사님을 한번 만나보라고 했습니다. 말하기 어려운 고민이 있는 것 같으니, 상담 겸 대화라도 나누라는 것이었습니다. 잠시 후 이번에는 목사님께서 전화를 주셨습니다. 한번 오라고 하셔서 알겠다고 말씀드리고 전화를 끊었습니다. '내가 계속 이런 상태로 있으면 안 되는데…. 지금이 아니면 절대 이 상태에서 빠져나오지 못할 것 같다.'라는 생각이 갑자기 확 들었습니다. 그래서 바로 그 주간 토요일에 찾아갔습니다.

 목사님은 경기도 부천에 계셨고, 저는 당시 서울 수유동에 살고 있었습니다. 지하철로 한 시간 반 정도 되는 거리였는데, 오고 가는 시간과 교통비를 따져 보니 별로 가고 싶지 않았지만, 그래도 일단 갔습니다.

목사님을 만나 대화를 시작했습니다. 처음에는 무슨 말을 어떻게 하나 싶었는데, 대화 중에 또 눈물이 나왔습니다. 원래 남 앞에서 잘 울지 않으려고 하는 편인데도, 가장 힘든 문제를 꺼내다 보니 눈물이 안 날 수가 없었습니다.

어느 정도 제 얘기를 들으신 후 목사님은 전도 현장에서 만났던 다양한 사람들의 이야기를 해 주셨습니다. 정신병자, 영적 문제자, 방황하는 대학생들의 이야기를 하시면서 그들 중 일부가 쓴 <나의 다메섹>이라는 종이 뭉치를 보여주셨습니다. 목사님의 이야기를 한참 듣는데, '왜 내 문제와 전혀 상관없는 이야기들을 하실까?'라는 의문이 들었습니다. 그러나 자리를 박차고 나올 정도는 아니어서 일단은 끝까지 들었습니다.

대화 끝부분에 목사님은 제게 세 가지 미션을 주셨습니다. 첫 번째는 '일기 쓰기'였습니다. 누구에게 말하지 못하는 것들을 일기에 쓰면서 감정을 풀어내라고 하셨습니다. 초등학생 때 이후로 자발적으로 일기를 써 본 적이 거의 없어서 막막했지만, 우선 알겠다고 했습니다.

두 번째는 '독서'였습니다. 목사님은 『치유의 글쓰기』3)라는 책을 빌려주시며 읽어 보라고 하셨습니다. 그 당시 저는 출판사에서 근무하고 있었는데도 1년에 책 한 권을 읽지 않았습니다. 회사 업무로 활자에 치여 살다 보니 눈에 들어오는 글씨  가 모두 업무의 연속으로 느껴졌기 때문입니다. 그래도 우선 알겠다고 했습니다.

세 번째는 <나의 다메섹>을 써 보라는 것이었습니다. 종이 뭉치를 보여주시며 설명도 해 주셨는데, 잘 이해가 되진 않았습니다. 마치 자기소개서 같았지만, 또 아닌 것 같기도 했습니다. 내가 그리스도를 만나기 전의 상태, 그리스도를 만난 사건, 미래는 어떻게 살 것인지를 쓰라고 하셨습니다. 전에는 그리스도를 어떻게 만났느냐는 질문을 받으면 정답을 말하듯 '영접해서요.'라고 답변하곤 했는데, 목사님의 말씀은 그 의미가 아니었습니다. 진짜 그리스도를 만난 체험이 있냐는 의미였지만, 저는 특별히 체험이 없었기 때문에 무엇을 써야 할지 막막했습니다.

일기 쓰기와 독서는 어떻게든 해 보겠는데, <나의 다메섹>은

---

3) 셰퍼드 코미나스(2008). 『치유의 글쓰기』. 홍익출판사.

어떻게 해야 할지 전혀 감이 잡히지 않았습니다. 지금까지 늘 정답만 쫓던 저에게는 너무 어려운 과제였습니다. 인생의 정답을 몰라 절망 상태로 여기까지 왔는데, 또 하나의 과제라니….

자살할 용기가 없으니, 속는 셈 치고 해 보자

성경에 많은 이야기가 있는데, 그중 나아만 장군의 이야기가 있습니다. 그는 아람 나라의 대표적인 장군이었지만, 몸이 썩어가는 피부병인 문둥병나병에 걸렸습니다. 멋진 군복으로 썩어가는 몸을 감췄지만, 치료제가 없어 누군가에게 말도 못 하고 혼자 끙끙 앓았습니다. 그러던 어느 날 한 여종의 권유로 엘리사 선지자를 찾아갔습니다.

강대국의 대표 장군이 왔는데 엘리사는 얼굴도 내비치지 않고 저 앞에 흐르는 강물에서 몸을 씻으면 나을 것이라고 말했습니다. 나아만이 강물을 보니 완전히 더러운 구정물이었습니다.

"내가 명색이 장군인데, 나와 보지도 않고 저 더러운 물에 몸을 씻으라고? 나는 저 선지자가 나와서 내 몸에 손을 얹고 기도해서 낫게 할 줄 알았는데, 아주 괘씸하구나!"

분노한 나아만이 집에 돌아가려고 하는데, 옆에 있던 부하가 그를 막으며 말했습니다.

"장군님, 만일 저 선지자가 장군님께 큰일을 행하라고 하면 하지 않으셨겠습니까? 하물며 강물에 씻기만 하면 낫는다는데 못할 이유가 없지 않습니까?"

부하의 말을 들은 나아만은 생각을 바꿔 곧바로 물에 들어가 몸을 씻었습니다. 잠시 후 물에서 나오니 몸은 깨끗해졌습니다.

목사님과 헤어지고 집에 돌아오니 다시 혼자가 되었습니다. 집에 오면 밥 먹고 자는 것이 일상이었는데, 그날은 왠지 그러면 안 될 것 같았습니다. '내가 이런 구질구질한 삶을 빨리 끝내는 길은 자살뿐이다. 그런데 그럴 용기는 없으니, 목사님이 주신 세 가지 미션을 한번 해 보자. 아주 어려운 것은 아니니 속는 셈 치고 시도라도 해 보자.' 하는 생각이 들었습니다. 그래서 그날 밤에 바로 첫 번째 미션을 시작했습니다.

막상 일기를 써 보니 미션이 쉽지 않았습니다. 그날 있었던 일을 일단 쓰긴 했는데, 완전히 초등학생 수준의 글이었습니다. '몇 시에 전철을 탔고, 오랜만에 만나서 대화를 했는데, 왜 나와 상관없는 쓸데없는 이야기만 하시는지 모르겠다. 올 때는 몇 시간이 걸리고, 일기를 쓰라고 해서 쓰긴 쓰는데 뭘 써야 할지 모르겠다.'라는 식으로 썼습니다. 삶을 반성하고 반추하는 일기가 아닌 행동 기록장에 가까웠지만, 당시에는 그것이 이상하다는 생각조차 못 했습니다.

일기를 매일 쓰는 것은 더 어려워서 주 2~3회 정도로 썼는데, 정말 쓸 말이 없는 날에는 마음속에 꼭꼭 숨기고 있던 힘든 감정들을 쓰기도 했습니다. 그러다가 옛날 생각을 하면 화가 치밀어서 눈물이 났고, 그러다가 욕을 쓰기도 했습니다. '에잇, XX, 진짜 왜 다 나한테 XX이야, 내가 호구로 보이나, 다 XX 같아!' 이런 식으로 쓰다 보면 감정이 격해져서 글씨를 휘갈기기도 했고, 일기장이나 펜을 집어 던지기도 했습니다. 그런데 그렇게 분풀이를 하며 눈물을 흘리고 나면 속이 약간 개운해졌습니다.

두 번째 미션도 병행했습니다. 그날 빌려온 책이 약 2~300쪽 되는 (그때 느끼기에는) 두툼한 책이었습니다. 그 당시 제가 얼마나 글을 못 읽었냐면, 한 줄 읽고 이해가 안 돼서 다시 앞쪽을 읽고, 한 문단 읽고 이해가 안 돼서 다시 앞 문단을 읽었습니다. 그러다 보니 한 시간에 2~3쪽도 읽지 못했습니다.

그래도 어떻게든 읽겠다고 결심을 하고 처음 빌린 책을 한 달 가까이 걸려 읽었습니다. 물론 책의 내용은 이해하지 못했지만,

'글을 쓰면 감정이 좀 나아진다.'라는 정도만 알고 넘어갔습니다. 책을 반납하자 목사님은 두 번째 책을 빌려주셨고, 또 한 달 가까이 읽었습니다. 책의 내용이 잘 이해되진 않았지만 단순히 책 한 권 읽었다는 사실만으로 뿌듯해하면서 두 번째, 세 번째 책도 힘겹게, 아주 느리게 읽어 나갔습니다.

처음 몇 달은 큰 변화가 없었습니다. 그런데 한 가지 깨달은 것은 내 두뇌가 완전히 망가져 있었다는 사실이었습니다. 회사 업무는 그럭저럭했는데, 업무 외의 것들은 자신이 없었습니다. 기억력도 상당히 나빠져 있었고, 머리를 쓰는 일 자체가 너무 힘겨웠습니다. 일기를 쓰고 책을 읽어 보니 내 머리가 완전히 멈춰져 있다는 것이 더 분명히 느껴졌습니다. 책을 봐도 글의 내용이 아닌 오타 찾기에 급급했고, 문해력은 상당히 떨어졌으며, 매사에 부정적이고 쉽게 포기하려는 제 모습이 발견되었습니다. 나아진 건 아무것도 없었지만, 나의 뇌 상태가 정상적이지 않다는 것은 분명히 보였습니다.

우울증의 원인을 발견하는 방법

세 번째 미션은 정말 너무 어려웠습니다. <나의 다메섹>이란 말 자체도 이해되지 않았습니다. '그냥 내 이야기를 쓰라고 하면 되지, 왜 굳이 <나의 다메섹>이라고 하는 걸까? 나에 대해 쓰는 것과 바울이 그리스도를 만났던 다메섹 동네하고 무슨 상관일까?' 하는 생각이 들었습니다. 또 '나의 과거를 쓴다.'라는 것도 잘 이해되지 않았습니다. '내 과거는 자소서로 몇 번 써봤는데, 지금 그런 자소서를 쓰란 말은 아닌 것 같고… 그리스도를 만난 경험을 쓰라고 했지만 나는 실제 만난 적이 없는데 어떻게 써야 하는 걸까?' 아무리 생각해도 알 수 없었습니다.

그래서 처음에는 일기장에 과거의 기억들을 써 봤습니다. 그런데 힘들었던 사건들을 쓰다 보면 울컥 화가 치밀면서 글씨가 휘갈겨졌고, 욕을 쓰거나 눈물을 흘리다가 일기장을 덮었습니다. 몇 달 후 다시 쓸 때도 마찬가지였습니다. 그래서 <나의 다메섹> 미션은 점점 포기하고 있었습니다.

하지만 첫 번째, 두 번째 미션만으로도 제 상태가 상당히 회복되었습니다. 가장 큰 변화는 부정적인 생각들이 많이 줄어든 것입니다. 일기는 여전히 이상하게 썼지만, 독서량은 상당히 늘었습니다. 이해가 안 되어도 계속 읽으려고 노력하니까, 한 권 읽는 데 한 달 걸리던 것이, 3주, 2주로 점점 줄어들었습니다. '이 책의 모든 페이지를 넘겨 봤다.'라는 것에 스스로 만족했는데, 가끔 청소년용 교육 만화는 1~2일 만에도 읽으니까 속도도 더 나서 독서에 재미가 붙었습니다. 그래서 책을 읽을 때마다 목록을 기록했더니, 8~9개월 동안 30여 권이나 되었습니다. 독서와 상관없던 내가 30권을 읽었다는 사실만으로도 뿌듯했습니다. 그러다가 마음에 드는 문구는 일기장에 써 보기도 했습니다. 기억력이나 이해력이 좋지 않으니 일기에라도 써 놓아야 할 것 같았기 때문입니다. 그러다 보니 금세 1년이 지났습니다.

1년이 지난 어느 날, 저를 평생 쫓아다녔던 문제가 다른 모습으로 둔갑해서 다시 찾아왔습니다. 지인의 소개로 소개팅을 했는데 두세 차례 만나며 관계가 발전할 뻔했습니다. 그런데 제 안에 숨겨져 있던 과거의 상처가 다시 제 발목을 붙잡았습니다. 온종일 고민하다가 목사님께 연락을 드렸더니 목사님은 직접 쓰신 <나의 다메섹>을 보내주시면서 상대와 함께 써 보고 그 내용을 바탕으로 대화해 보라고 하셨습니다.

저는 곧바로 그분에게 <나의 다메섹>을 같이 써 보자고 제안했습니다. 그러나 그분은 이미 저한테 상처를 받아 제 제안을 거절했습니다. 그날 밤, 저는 희한하게 울적하기보다는 이런 나의 상태를 오늘 아니면 평생 끝낼 수 없을 것 같다는 생각이 들었습니다. 그때가 저녁 11~12시쯤이었는데 '나 혼자라도 지금

<나의 다메섹>을 쓰자.' 결심하고 새벽 3시까지 썼습니다.

제 생애를 글로 써 보니, 참으로 비참하고 기구한 인생이라는 생각이 들었습니다. 컴퓨터로 작성하는 3~4시간 동안 계속 눈물이 났습니다. 작성을 다 한 후 직업병이 도져서 오타가 있을까 봐 다시 읽었는데, 또 눈물이 났습니다. 방금 쓴 내용이라 분명히 내가 다 아는 내용인데도 눈물이 그치지 않았습니다.

읽고 또 읽기를 다섯 번 정도 하니까 눈물이 줄기 시작했고, 일곱 번째 읽을 때는 드디어 눈물이 나지 않았습니다. 그리고 이 글들이 더 이상 내 문제가 아닌 것처럼 느껴졌습니다. '아! 내가 내 상처를 객관화해서 보지 못하고 계속 정신병자처럼 묶여 있었구나!' 그날에서야 비로소 깨달았습니다.

그동안 마음속에, 생각 속에만 갖고 있던 나의 진짜 문제와 고민을 종이에 꺼내 놓고 눈으로 들여다보니 이것은 나만의 문제가 아니었습니다. 내 가문, 조상, 부모님을 통해 계속 전달되어 내려온 뿌리 깊은 문제, 즉 대물림된 문제였습니다.

부모님께 일어났던 사건들이 평행 이론처럼 저한테도 똑같이 일어나고 있었습니다. 그런데 그 순간 '이 문제는 내 잘못도, 부모님의 잘못도 아니다.'라는 생각이 들었습니다. 즉 원인을 알수 없는 대물림된 문제들이 내가 살아오며 받았던 교육이나 경험들과 복합적으로 뒤섞여서 '우울증에 100% 걸릴 수밖에 없게' 만들었던 것입니다. '아…. 이래서 내 인생이 꼬였던 거구나….' 뒤통수를 한 대 얻어맞은 듯한 깨달음이었습니다.

 저는 그날 <나의 다메섹>을 7번 정도 읽은 후 35년 동안 나를 괴롭혔던 문제의 실체를 보았습니다. 가정불화, 경제 문제 등은 우울증을 일으킨 방아쇠였을 뿐이었습니다. 진짜 원인은 우리 가정·가문의 영적 문제, 더 나아가 그 뒤에서 우리 가정을 붙들고 조종하고 있는 사단이었음을 발견한 것입니다. 이 사단을 누구의 힘으로도 꺾을 수 없지만, 오직 그리스도만 끝내실 수 있다는 사실이 드디어 믿어졌습니다. 그동안 신앙생활을 하면서도 마치 뜬구름을 잡는 것 같았는데, 비로소 그리스도의 피 언약이 내 문제와 직접적인 관련이 있다는 것을 확인하게 된 순간이었습니다.

 '이것은 부모님의 힘으로도, 내 힘으로도 끝낼 수 없는 우리 가정과 가문의 대물림된 영적 문제이다! 눈에 보이지 않는 사단이 우리 가정을 붙들고 있었다. 그런데 이 사단을 꺾으시고 나의 절대 불가능한 문제를 끝내기 위해 그리스도가 오셨던 것이구나! 그리고 이미 끝내셨구나!'[4]

---

4) '부록 1. 전도 자료용 <나의 다메섹>' 참고

Chapter 2

나 같은 자,
그 사람을 살려야 해

렘넌트 서밋은 언약을 붙잡고 하나님의 미션
을 확신하며, 가장 가치 있는 작품을 남기기
위해 결단하고 도전하는 정복자의 인생을 살
아야 합니다.

제4화

우울증에서 **진로를 발견**하다

/

당신의 뇌 속에서 벌어지는 일

몇 년 전, 예전 직장에 다닐 때 새로 부임한 대표님과 첫 미팅을 하게 되었습니다. 그분은 유명 게임업체의 임원으로 계셨던 분으로, 그분이 하는 말에 '역시 대표는 관점이 아주 다르구나.'하고 감탄했었습니다.

"직원들 대다수가 한 번 실패했던 기획안을 다시 시도해 볼 생각을 잘 안 합니다. 그 기획안이 실패한 원인은 기획안 그 자체에 문제가 있었다기보다 여러 가지 상황이나 사건으로 안 된 것인데 말이죠. 그런데 대부분은 그 사실을 잘 모르더라고요. 그래서 좋은 기획안이 사장되는 경우가 많습니다. 여러분께 당부드립니다. 실패하는 것을 두려워하지 않으셨으면 합니다. 이번에는 안 되었다 하더라도, 시간이 좀 지난 후 다시 도전하면 그때는 다른 결과가 나올 수 있습니다."

저는 가정환경이 좋지 않았기 때문에 돈을 버는 성공을 행복이라고 생각했습니다. 돈을 벌면서도 돈에 너무 시달리니까 더욱 돈을 추구했는데, 이상한 점은 그런 마음을 먹을수록 제 위치와 벌이는 더 시원찮아졌습니다.

그런데 <나의 다메섹>을 써 보니까, 그리스도 언약을 불신앙했던 것은 물론이고 지금까지 성공자 교육을 제대로 받지 못했다는 것을 깨달았습니다. 예를 들어, 달리기를 하다가 누구나 돌에 걸려 넘어질 수 있습니다. 이때 누군가는 다시 일어나 달리는 반면, 누군가는 땅을 치며 욕을 하고 경기를 포기합니다. 이와 마찬가지로 저는 '넘어져도 다시 일어나서 달리면 된다.'라는 것을 배운 적도, 실패하면 할수록 성공에 더 가까워진다는 사실도 배우지 못했습니다. 실패하면 실패자가 될까봐 지레 겁먹고 필사적으로 실패를 피하는, 그래서 완벽한 조건이 올 때까지 아무 시도도 안 하고 세상을 원망하며 쉽게 포기하는 사람이었습니다. 즉 후천적인 무력감, 학습된 무력감으로 인해 모든 것을 부정적으로 생각하다가 결국 우울증에 걸렸던 것입니다. 그리고 이것이 사단이 계획한 저를 향한 맞춤형 공격 전략, 즉 하나님의 능력을 불신앙하게 만든 전략이란 사실도 몰랐습니다.

여러분의 생각은 곧 여러분 자신입니다. 그리고 이 생각은

'뇌'와 관련이 있습니다. 인간의 두뇌에는 약 600~1,000억 개의 뉴런_{신경세포}이 있고, 각 뉴런에는 약 1,000~10,000개의 시냅스_{신경세포의 끝부분이 다른 신경세포와 접합되는 부위}가 있습니다. 그래서 여러분의 뇌에는 대략 100조 개의 시냅스가 있습니다.

시냅스는 각 뉴런과 뉴런 사이에서 신경 자극을 전달합니다. 어떤 일정한 자극이 계속 주어지면 그 자극을 전달하는 데 사용된 뉴런과 시냅스는 점차 강화됩니다. 반면 잘 사용하지 않은 뉴런과 시냅스는 점차 약해져서 소멸되는데 이 현상을 '가지치기'라고 합니다. 이 가지치기 현상 때문에 인간은 특정 기술을 일정 시간 동안 반복 연습하면 어느 순간 그것을 자동으로 수행할 수 있게 됩니다. 반면 자주 쓰지 않는 기술은 잊어버리게 됩니다.

이러한 뇌의 특징은 신체뿐 아니라 사고방식도 자동화시킵니다. '부정적인 상황'이라는 자극이 왔을 때 '부정적인 생각'을 자주 하면 부정적인 자극과 반응을 연결하는 시냅스가 강화됩니다. 그래서 비슷한 상황이 생기면 부정적인 생각에 관여된 시냅스가 자동으로 활동합니다. 전혀 다른 상황인데도 비슷한 생각과 판단을 자기도 모르게 하는 것입니다. 그러나 모든 상황이나 사건은 완벽하게 동일하지 않습니다. 수많은 변수가 있으므로 결과는 항상 바뀔 수 있습니다. 하지만 우리의 뇌는 과거의 실패를 바탕으로 이번에도 또 실패하리라 판단합니다. 왜냐하면 객관적으로 판단하여 상황마다 다르게 사고하는 교육을 받지 못했기 때문입니다. 즉 어릴 때부터 뇌를 어떻게 쓰느냐에 따라 성공자가 될 수도, 실패자가 될 수도 있습니다.

혹시 '내 나이가 몇인데…. 나는 이제 틀렸어.'라고 생각할 수도 있습니다. 그러나 여러분이 20대이든, 30대이든, 아니면 80세이든 상관없이 여러분에게 희망이 있습니다. 왜냐하면 뇌는 계속해서 새로운 뇌세포를 생성하기 때문입니다. 새로운 도전과 교육, 그리고 반복적인 훈련을 통해 새로운 시냅스는 연결되고 강화됩니다. 즉 우리는 '100조 개의 가능성'을 이미 갖고 있습니다. 그래서 차근차근 후천적인 무력감에서 벗어나 부정적인 시냅스를 모두 '가지치기'해 버리고, 희망의 시냅스를 강화해야 합니다.

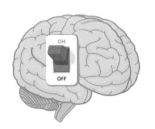

성공자들의 뇌

성공자들은 모두 천재였을까요? 아닙니다. 그들은 좋은 IQ를 갖고 있던 게 아니라, 남다르게 생각했을 뿐입니다. 그들은 부정적인 상황에도 '성공자의 생각, 성공자의 자세'로 포기하지 않고 끝까지 도전했습니다. 숨겨진 문제점을 찾아 수정하고 될 때까지 끈기 있게 도전하여 자기 분야의 최고가 된 것입니다.

반면 실패자는 빠르게 포기합니다. 도전할 때는 고민에 고민을 거듭하지만, 포기할 때는 빛의 속도로 포기합니다. '어차피 결과는 실패'라는 것을 확신하며 도전하지 않는 것입니다. 여러분은 성공자와 실패자 중 어떤 사람이 되길 원하십니까? 그리고 현재 어떤 자세를 갖고 있습니까?

에디슨은 필라멘트 전구를 발명할 때 한 번에 해낸 것이 아닙니다. 내구성 있는 필라멘트를 얻기 위해 6,000여 개가 넘는 재료로 7,000번 이상 실험했습니다. 그러나 번번이 실패했고, 많은 사람이 그의 연구를 쓸데없는 짓이라며 비난했습니다. 어떤 기자는 그의 꿈이 이미 물거품이 되었다는 기사도 썼습니다.

그러나 에디슨은 물러서지 않았습니다. 모든 실패가 성공을 위한 한 걸음이라고 생각했습니다. 그러던 어느 날, 저녁 식사를 하던 중 갑자기 무명실이 뇌리를 스쳤습니다. 곧바로 식사를 그만두고 실험실로 달려가 무명실을 이용하여 실험했고, 드디어 45시간 동안 빛을 밝힐 수 있었습니다. 이후 그는 그것을 다시 개량하여 텅스텐으로 필라멘트를 만들었고, 전구 안에 질소와 아르곤으로 채워 전구의 수명을 획기적으로 늘렸습니다.

J. K. 롤링은 결혼 생활에 실패하여 28세에 이혼을 했습니다. 자식을 키워야 하는데 일자리가 없어서 시에서 지원하는 보조금 인 주당 68파운드로 버텼고, 얼마 되지 않아 우울증에 걸려 치료를 받기도 했습니다. 그 와중에도 일자리를 구하기 위해 교사 자격 인증 석사학위 과정을 밟았고, 틈틈이 소설을 썼습니다.

그러던 어느 날, 기차를 타고 가다가 기차가 연착되어 무료한 시간을 달래기 위해 상상하던 중 갑자기 좋은 아이디어가 떠올랐습니다. '자신이 마법사라는 사실을 모르고 어쩌다가 우연히 마법사학교에 가게 된 소년'. 이 소년의 11~17세까지의 학교생활을 소재로, 한 학년에 한 권씩 총 일곱 권의 시리즈물을 만들어야겠다는 생각이 들었습니다.

그녀는 이 아이디어를 구체화하기 위해 곧바로 집필 작업에 들어갔습니다. 첫 구상을 한 지 5년 만에 첫 번째 원고를 완성하여 에이전트를 통해 출판사에 투고했으나, 12개 출판사로부터 모두 퇴짜를 맞았습니다. 그러다가 드디어 한 출판사에서 연락이 왔습니다. 그러나 출판사는 처음부터 일곱 권을 시리즈로 하는 것이 무리가 있다고 판단하여 한 권만 제작하자고 했습니다. 그녀는 아쉬웠지만 우선 한 권이라도 출판하기로 했습니다.

그렇게 해서 나온 '해리 포터'는 출판사의 예상과 달리 단숨에 인기를 끌었습니다. 포기하지 않고 끝까지 도전한 결과 그녀의 책은 판권 경매에서 10만 5,000달러에 팔리기도 했습니다.

흑인 음악계의 전설로 불리는 스티비 원더는 6개월 만에 미숙아로 태어나 인큐베이터 생활을 하던 중 산소 과다 공급으로 시력을 상실했습니다. 그러나 청력이 뛰어났습니다.

어느 날 학교 수업 중에 쥐가 교실로 숨어들었습니다. 아무리 뒤져도 보이지 않자 선생님은 흑인 소년에게 소리만으로 쥐를 찾아보라고 했습니다. 소년은 곧바로 쥐를 찾아내었고, 선생님은 그를 칭찬해 주었습니다.

"넌 어떤 친구도 갖고 있지 못하는 훌륭한 능력을 갖고 있어. 네겐 특별한 귀가 있구나."

선생님의 작은 격려 한 마디가 그 소년의 인생을 뒤바꿨습니다. 그는 자신의 재능을 갈고닦아 11세 때 가수로 데뷔하여 세계적으로 히트를 시켰고, 20세기 최고의 뮤지션이 되었습니다.

나만 할 수 있는 나의 길

저는 35년 만에 <나의 다메섹>을 통해 그동안 숨겨져 있던 나의 문제들을 직면할 수 있었습니다. 그리고 이를 객관적으로 살펴보자 앞으로 남은 생애 동안 내가 해야 할 것, 나만 할 수 있는 것이 보였습니다. 복음을 알고도 우리 가정에 꼭 필요한 교육부모교육, 자녀교육, 진로교육, 경제교육, 리더십교육, 전도훈련 등이 부재하여 나의 세계관이 실패자의 세계관으로 형성되었음을 발견한 것입니다.

세계관은 '세상을 보는 관점'입니다. 실패자의 세계관으로 보면, 모든 일이 다 실패할 것들뿐입니다. 넘어져도 실패, 다시 일어나도 실패, 이렇든 저렇든 결론은 실패였습니다. 그러니 도전할 필요가 없어지고, 그저 '내 삶은 왜 이럴까?' 이 생각에만 사로잡혔던 것입니다. 긍정적인 시냅스는 모두 가지치기를 당했고, 실패자의 시냅스만 남아서 제 삶을 갉아먹고 있었던 것입니다. 그러니 우울할 수밖에 없었던 것이죠. 그래서 저는 이 사실을 나 혼자만 알면 안 되겠다는 결론을 내렸습니다.

'분명 어딘가에 나처럼 우울감에 빠져 허덕이는 사람이 분명히 있을 텐데, 나의 이 경험은 분명히 그들에게 도움이 될 거야!'

그렇게 해서 처음에는 '교육'이라는 꿈을 붙잡았습니다. 시간이 지나면서 그 꿈은 점점 구체화되고 세분화되어 '세계관 치

유', 그리고 다시 '렘넌트 서밋 메이커'로 바뀌었습니다. 목표가 세워지니까 이것을 위해 할 수 있는 것을 하나씩 도전해야겠다는 생각이 들었습니다. 책을 읽고, 글을 쓰고, 강연하는 사람이 되어야겠다고 다짐했습니다. 당장은 작가나 강연가가 될 수 없어도 에디슨처럼 한 걸음씩, 즉 최소한 100권의 책을 읽고 100개의 글을 쓰는 도전은 할 수 있겠다는 생각이 들었습니다.

그렇게 해서 저의 '세계관 치유'를 주제로 한 글쓰기 도전은 시작되었습니다. 매주 1권을 읽고 1개의 글을 쓰기로 목표를 세워 약 5년간 지속했더니 200개 이상의 글이 모였습니다. 처음에는 개인 기록으로 남겼는데, 30개 정도 쌓였을 때부터는 블로그에 올렸습니다. 이후 주일 예배 때 '서밋 타임'이라는 코너에서 독서 포럼 발표를 하며 촬영 영상을 교회 유튜브에 올렸습니다. 처음 시작할 때는 아무 관심을 받진 못했지만, 언젠가는 누군가에게 도움이 되겠지 하는 마음으로 매주 블로그에 글을 올렸습니다. 그랬더니 점점 글쓰기와 발표 실력이 나아졌습니다.

제가 이런 다짐을 하고 실천을 해도 몇 달 동안은 크게 바뀐 것이 없었습니다. 그러나 하나 달라진 점은 '모든 일에 불평하지 말고 최선을 다해야겠다. 하나님께서 나와 함께하시니까 문제 될 것 없다. 그리고 이 문제 속에서 내가 배워야 할 것을 찾아야겠다.'라는 생각으로 바뀌었습니다. 상사가 불가능한 일을 지시하면 잠깐 짜증이 나기도 했지만 어쨌든 이 문제를 빨리 해결할 방법을 찾기 위해 최선을 다했습니다. 그랬더니 불가능한 일이 10개라면 그중 7~8개 정도는 결국 해내고 있는 제 모습을 발견했습니다. 그렇게 작은 성공 경험들이 하나둘씩 쌓이니까 어떤 일도 해낼 수 있겠다는 자신감이 점점 생기기 시작했습니다. 비록 연봉이 높지 않았지만 '내가 이 회사에서 돈을 받으면서 미래의 작가, 강연가가 되는 준비를 하겠다.'라고 생각하며 업무 하나하나에 최선을 다했더니, 회사 일도 저를 중심으로 돌아가게 되었습니다.

그러던 어느 날, 직장 동료가 술을 마시고 결근한 사건이 일어났습니다.[5] 그 타이밍을 놓치지 않고 저는 그의 세계관을 바꿔주기 위해 대화를 시작하여, 3일 동안 집중적으로 복음을 전했습니다. 그 결과 그는 그리스도를 영접했고, 이후 제가 몇 달간 독서 훈련을 시켰습니다. 그는 평생 책과 거리가 멀었던 사람이었는데 독서의 필요성을 깨닫고 출퇴근 시간에 독서도 했습니다. 그리고 1년 후에는 자신의 꿈이었던 요식업에 도전하여 사장이 되었습니다.

또 다른 직장 동료는 여자 친구와의 문제로 고민하다가 저와

---

5) '제1화 삶이 무기력해? 이미 우울증이네' 참고

대화를 나눈 후, 오히려 자신에게 문제가 있음을 발견했습니다. 그래서 복음을 듣고 그리스도를 영접한 이후, 하나님과의 관계와 부모님과의 관계를 개선할 수 있었습니다.

또 다른 분은 어렸을 때 상처로 평생 시달린 상태였습니다. 오랜만에 그분을 만나 제 얘기를 했더니, 그분도 갑자기 자신의 상처를 꺼내 놓았습니다. 아무에게도 털어놓은 적이 없다며 들려준 그분의 이야기는 정말 쉽지 않은 내용이었습니다. 이야기를 다 듣고 저는 그에게 이렇게 말했습니다.

"큰 문제를 겪어서 그동안 힘들었을 텐데, 이제 더는 상처에 묶이지 않았으면 합니다. 겪지 않았어야 할 경험이지만, 그 문제 속에서 중요한 사실을 발견하면 됩니다. 그 경험을 바탕으로 오직 ○○님만 할 수 있는 일이 있습니다. ○○님과 비슷한 일을 겪은 사람들을 살려야 합니다. 직접 그 일을 겪은 ○○님이 말한다면 분명 더 큰 영향력을 발휘할 수 있을 것입니다. 그래서 ○○님은 정말 중요한 사람입니다."

맛집도 직접 먹어 본 사람이 온 마음을 다해서 그 맛집을 소개합니다. 먹어보지 않고 그저 사진이나 TV로 본 사람은 '맛있다 하더라.'라는 표현밖에 못 합니다. 가난도 겪어 본 사람만이 압니다. 안 겪어 본 사람은 대충 '힘든가보다.'라고 생각합니다.

부잣집 도련님 같은 정치인이 어설프게 가난한 사람을 공감하는 척하면 그다지 신뢰가 생기지 않습니다. 그러나 실제로 온갖 고생을 다 겪다가 정치인이 된 사람이 경제 공약을 말하면 진정성이 있게 들립니다. 같은 경험을 겪은 사람이 말하면 한 마디 한 마디가 힘 있게 전달되는 것은 당연한 일입니다.

잘못된 세계관으로 30년 넘게 시달리며 우울증에 빠져 있을 때는 나 자신이 세상에서 가장 비참하고 불쌍한 사람이었습니다. 그러나 우울증에서 빠져나와 세상을 보니 나 같은 자들이 여기저기 널려 있었습니다. 살려야 할 사람들이 보이자 내가 해야 할 것들이 보였습니다.

'저 사람들의 관점, 즉 세계관을 바꿔주어야 한다. 그래야 저 사람들이 생각의 감옥에서 빠져나올 수 있다. 저 사람들을 살리는 것이 나의 사명, 나의 미래구나. 로마서 16장 25~27절의 '선지자들의 글'이라는 말씀처럼 내 이야기를 남기면 나 같은 자가 볼 것이다. 이것은 나를 향한 하나님의 계획이다! 그래서 하나님께서 지금까지 이런 문제들을 내게 허락하셨던 것이구나. 그럼 이제 내가 작은 것부터 도전해야겠다. 하나님께서 예정하신 미래에 내가 쓰임 받으려면 준비해야겠다. 준비하고 있으면 하나님의 시간표가 반드시 올 것이다!'

직장에서 아무리 문제가 많아도 퇴사하면 끝입니다. 퇴사하면 100만 개의 문제가 더 이상 내 문제가 아닙니다. 당장 우울증, 공황장애, 각종 정신적, 심리적, 영적 문제에서 퇴사해야 합니다. 그리고 그 안에서 과거의 나처럼 고통받고 있는 사람들을 꺼내주어야 합니다. 이것이 바로 여러분만이 할 수 있는 것이고, 여러분의 사명, 미래, 진로로 삼아야 합니다.

저는 제 진로를 서울대 대학원에서도 발견하지 못했고, 오히려 꿈을 잃었습니다. 교수의 꿈, 성공의 꿈을 가지고 갔는데 가자마자 실패했습니다. 새로운 희망이 있으리라 생각한 곳은 이미 레드오션이었고, 그 사실을 깨닫고 우울증에 빠지게 되었습니다. 논문 속에 나오는 심리 치료는 정작 내 문제도 해결하지 못했습니다.

그러나 세계관이 바뀌자 내 과거의 모든 것들이 재해석되기 시작했습니다. 우울증에 빠진 덕분에 '서울대' 타이틀에 갇혀 나 자신을 더욱 꼭꼭 숨길 뻔했던 위험에서 빠져나올 수 있었습니다. 내가 겪은 과거의 문제들은 이제 내가 살려야 할 사람들을 위한 발판이 될 것이라는 확신이 생겼습니다. 감사의 눈으로 보자 모든 것이 감사할 이유로 보였습니다. 우울증에 가려 숨겨져 있던 내 사명이 드디어 모습을 드러낸 순간이었습니다.

제5화

비전공자가 전공자를 이기는 방법

'절대 불가능'의 담을 뛰어넘는 방법

출애굽기를 보면 이스라엘 백성들이 400년 애굽 노예 생활을 청산하고 출애굽을 한 이야기가 나옵니다. 피 언약을 붙잡고 애굽에서 빠져나왔지만, 여전히 그들의 생각은 노예 수준이었습니다. 가는 곳마다 불평, 불만을 토로하며 애굽으로 돌아가자고 외쳤습니다. 그래서 결국 불신앙하던 기존 세대는 광야에서 죽었고, 40년간 광야 트레이닝을 받은 새로운 세대, 즉 '정복자 마인드'를 갖춘 후대를 통해 하나님께서 명하신 가나안 땅을 정복할 수 있었습니다.

이것은 단순히 성경 속 이야기가 아니라, 우리에게 주시는 메시지입니다. '실패할 수밖에 없었던' 옛 수준에서 빠져나와, 과거를 재해석하고 오늘을 준비하여 미래를 재창조해야 합니다.

그러기 위해 <나의 다메섹>을 써 보며 '왜 하나님께서 이 문제를 나에게 허락하셨을까'를 질문해야 합니다. 구체적으로 질문할수록 여러분만 할 수 있는 사명도 구체적으로 보이게 됩니다.

하나님께서 내게 허락하신 사명을 찾았다는 확신이 생겼다면, 이제 도전해야 합니다. 이때 가장 먼저 해야 할 것은 생각을 바꾸는 것입니다. '안 된다, 절대 안 된다.'라고 생각하면 뇌는 그대로 받아들입니다. '나는 무능력해. 나이 많아 늙었어, 힘도, 돈도, 배경도, 미래도 없어.'라는 생각을 계속하면 진짜로 그렇게됩니다. 그래서 생각부터 바꿔야 합니다. 모든 것을 부정적으로보지 말고 객관적으로 봐야 합니다.

그리고 나를 업그레이드 시켜야 합니다. 계속 노예 수준, 치유대상자, 복지 대상자 수준에 머물러 있으면 안 됩니다. '정복자'로 서는 도전을 시작해야 합니다. '내 생각 습관, 행동 습관, 신앙 습관'까지 모두 정복자 마인드, 서밋 마인드로 바꾸는 트레이닝을 시작해야 합니다.

'도전해야 한다.'라고 말하면 인본주의로 오해하는 분들이 있습니다. 만약 내가 원하는 목표를 내 힘으로 이루기 위해 노력한다면 그것은 인본주의가 맞습니다. 그런데 내가 해야 할 사명이 보였는데도 아무것도 하지 않고 '어느 날 되겠지.' 하며 가만히 있는 것은 신비주의입니다. 인본주의나 신비주의와 달리 '언약의 여정'은 하나님께서 지으신 나의 정체성을 확인하고, 하나님께서 내게 주신 달란트를 갈고 닦으며, 하나님께서 주신 나의 미션을 향해 꼭 해야 할 도전을 하는 것입니다. 즉 디모데후서 3장 14절 말씀처럼 '배우고 확신한 일에 거하는 것'이 언약의 여정입니다.

그런데 여기서 잠깐, 세상의 성공자들이 하는 도전과 하나님 자녀가 하는 도전은 어떤 차이가 있을까요? '누구의 도움을 힘입어서 하느냐?'의 차이입니다. 세상의 성공자들에게는 일반 사람들이 잘 모르는 시크릿이 하나 있습니다. 바로 이성적인 수준을 뛰어넘는 지혜나 힘을 얻기 위해 '변성 의식(또는 황홀경, 엑스터시)'을 체험하는 것입니다. 변성 의식을 체험하는 방법으로 명상, 최면, 마약, 섹스, 사이키델릭 록 음악, 익스트림 체험 등이 있습니다. 이런 방법들을 통해 변성 의식 상태에 들어가면 남들이 보지 못하는 것을 보고, 듣지 못하는 것을 들으며, 자신의 한계를 초월하는 능력이나 지혜를 얻기도 합니다. 그래서 이런 체험이 계속되면 마치 내가 신이 된 것 같은 착각에 빠지게 됩니다. 그러나 진짜 문제는 이 황홀경을 계속 자주 체험하면 어느 순간 '다른 존재'를 만나게 된다는 것입니다. 성공철학의 대가인 나폴레온 힐은 매일 명상을 통해 '악마, 또 다른 자아, 9명의 영혼 자문관'들과 소통했습니다. 심리학자이자 뉴에이지의 아버지인 칼 융은 '필레몬'이라는 존재와 소통했고, 고대 철학자 소크라테스는 '다이몬'이라는 존재와 소통했습니다. 이것은 마치 무당이 귀신과 접신하는 것과 같은 것입니다.

그렇다면 하나님의 자녀에게는 어떤 힘이 필요할까요? 우리는 원래 절대 불가능한 인생이었습니다. 그런데 복음을 알고 내 평생의 미션을 발견했다고 해서 갑자기 접신한 것처럼 과거에 없던 능력이 생겨나는 것은 아닙니다. 그래서 우리의 한계를 초월하는 진짜 비밀을 회복해야 합니다. 그것은 바로 임마누엘WIO, 즉 성령충만입니다.

어린 자녀가 작고 힘이 없어도 아버지와 함께 있으면 의기양양해집니다. 마찬가지로 하나님의 자녀는 하나님과 함께하면 됩니다. 사도행전 1장 8절을 보면 예수님께서 이렇게 약속하셨습니다. '오직 성령이 너희에게 임하시면 너희가 권능을 받고 예루살렘과 온 유대와 사마리아와 땅끝까지 이르러 내 증인이 되리라' 즉 임마누엘(성령충만)은 절대 불가능한 인생을 절대 가능한 인생으로 바꾸는 비밀입니다. 17세 노예 소년이었던 요셉도, 80세의 늙은 도망자였던 모세도 그 비밀을 누렸습니다. 온갖 시련에도 무너지지 않고 강대국을 정복할 수 있었던 건 '하나님이 나와 함께하신다.'는 언약을 붙잡고 기도 속에서 성령충만의 비밀을 누렸기 때문입니다. 즉 여러분이 아무리 어려도, 아무리 늙어도 이 비밀을 누리며 도전하면 됩니다.

문제, 갈등, 위기가 오는 이유는 두 가지입니다. 하나는 우리를 기도하는 자로 훈련시키기 위함이고, 또 다른 이유는 레벨 테스트입니다. 이 사실을 알면 더 이상 문제, 갈등, 위기는 문제되지 않습니다. 부끄러운 전도자가 되지 않기 위해 내 수준을 높이는 도전을 하며 정시, 무시, 집중 기도를 누리면 됩니다.

전도자로서 현장을 정복하러 가는 우리를 막기 위해 사단은 더 강하게 공격할 것입니다. 그럴 때마다 하나님을 의지하며 우리의 신분, 권세를 사용하는 기도를 누리시길 바랍니다. 시편 18장 29절의 다윗의 고백처럼 나의 상처, 한계, 무능의 담을 뛰어넘으며 정복자로 도전할 때 하나님의 시간표는 이루어집니다.

내가 주를 의뢰하고 적군을 향해 달리며 내 하나님을 의지하고 담을 뛰어넘나이다 (시편 18장 29절)

비전공자만 할 수 있는 일

여러분이 붙잡은 사명이 여러분의 전문성_{전공 또는 직업}과 관련이 있으면 좋지만, 직접적인 관련이 없다 하더라도 크게 상관없습니다. 왜냐하면 전공자가 절대로 할 수 없는 것을 비전공자는 할 수 있기 때문입니다. 바로 그 학문의 모순을 자유롭게 말할 수 있다는 점입니다.

세상의 모든 학문은 이미 사단의 손에 장악되어 있습니다. 학문이 장악되었다는 말은 세상의 모든 분야가 장악되었다는 뜻입니다. 진화론, 유물론, 공산주의, 과학주의, 포스트모더니즘, 현대철학과 같은 다양한 사상들이 '학문'이라는 이름으로 교수를 통해, 그의 제자들을 통해 전달됩니다. 그래서 '유치원부터 대학까지' 모든 교육기관에서 우리 후대들을 세뇌할 뿐 아니라 미래 지도자까지 양성하고 있습니다. 이미 대학에 들어간 순간, 교수의 권위에 눌려 교수의 개인적인 사상을 비판 없이 수용합니다. 그래서 엘리트일수록 자기 학문의 모순을 보려 하지 않고, 설령 안다 해도 묵인할 수밖에 없습니다. 왜냐하면 공든 바벨탑을 내부에서 무너뜨리는 것은 곧 자기 목에 칼을 겨누는 것이니까요.

그러나 비전공자는 자유롭게 말할 수 있습니다. 다양한 사상들이 복음의 대척점에 서서 무엇을 어떻게 파괴하는지 눈치 보지 않고 말할 수 있습니다. 오히려 그들의 사상에 물들지 않은, 더 객관적인 시각으로, 더 정확한 눈으로 볼 수 있다는 뜻이죠.

그렇다고 해서 수준 낮은 말로 비판하면 비웃음거리밖에 안 됩니다. 그래서 비전공자가 전공자를 이기는 방법을 훈련해야 합니다. 이 방법은 아주 특별하면서도, 아주 평범합니다. 그래서인지 아무리 알려 줘도 대부분 잘 안 하는데, 이것이 오히려 우리에게 기회가 됩니다. 대부분이 하지 않기 때문에, 만약 여러분이 지금부터 도전한다면 여러분은 언젠가 반드시 선두에 서게 됩니다. 그 방법은 세 가지입니다.

첫째, 문제를 해결하는 '바로 그 사람'이 돼라.
둘째, 문제의 원인을 알고 반대쪽을 보는 집중을 해라.
셋째, 독서와 전문성으로 나만의 도구를 만들라.

첫째, 문제를 직접 나서서 해결하는 사람이 되어야 합니다. 이 세상에 문제가 없는 곳은 한 곳도 없습니다. 내가 가는 곳마다 문제가 있는 것이 아니라, 문제의 모습이 다를 뿐 그저 모든 곳에 문제가 있습니다. 그래서 누군가 나 대신 해결해 주길 기다리지 말고 여러분이 직접 해야 합니다. 하나님께서 나를 선택하신 이유를 알았다면, 문제 해결을 위한 과정들에 하나씩 도전하며 차근차근 내 수준을 높여야 합니다.

둘째, 문제를 분석하여 실패할 수밖에 없는 원인을 찾고, 반대쪽에 숨겨진 방법을 찾는 집중 속으로 들어가면 됩니다. 예를 들어, 공부를 못하는 사람은 공부하는 방법을 알면 됩니다. 가난한 사람은 돈을 버는 방법을 알면 됩니다. 꿈이 없어 방황하는 사람은 꿈을 찾는 방법을 알면 됩니다. 그러나 가장 중요한 것은 세상의 해결책이 아니라, 하나님께서 원하시는 답을 현장에 적용하는 것입니다. 그래서 문제를 놓고 말씀 속에서 집중할 때 완전히 새로운 답을 발견하게 됩니다.

셋째, 문제와 답을 알면 이제 나에게 그것을 해결할 능력이 없음을 인지하게 됩니다. 이때는 독서를 통해 배우면 됩니다. 세상의 모든 책은 저마다 '어떤 문제를 해결하는 방법'을 담고 있습니다. 그래서 내가 해결하고 싶은 그 문제와 관련된 책을 최소 10~50권 정도 보면 그 책들이 말하는 공통점과 차이점이 저절로 보이면서, 문제를 해결할 방법이 보입니다. 여기에 이번 주 강단 메시지를 연결하여 보는 것이 가장 핵심입니다. 그리고 내가 가진 전문성과 제2, 제3의 달란트를 융합하면 한 분야의 전문가를 능가하는 나만의 무기, 나만의 도구가 만들어집니다.

플랫폼이 되는 방법

식당에 혼자 앉아서 2인분, 3인분을 먹으면 어떤 일이 일어날까요? 식당 사장님이 좋아합니다. 그리고 이 사실은 어느 현장에 가든, 어떤 일을 하든 마찬가지입니다.

우리는 결국 '일당백'이 되어야 합니다. '일당일'은 당연히 해야 되는 것입니다. 1인분의 월급을 받으면 1인분의 일을 아주 제대로 해내야 합니다. 물론 그 정도도 안 되는 사람들이 너무 많지만 겨우 일당일을 해 놓고 복지 타령, 연봉 타령하면 안 됩니다. 이제 여러분은 '일당백'은 못하더라도 최소 '일당이 2인분의 능력을 해내는 자'라도 되어야 합니다.

저는 교육 기획, 출판편집 등의 일을 하면서 불가피하게 디자인을 알아야 했습니다. 교육자료, 강의 자료, 홍보 자료 등을 만드는 데 디자인이 필요했기 때문입니다. 그래서 디자이너와 업무를 하다 보니 점점 디자인 감각이 생기게 되었습니다. 그렇게 몇 년 후에는 제가 잘 다루던 문서 프로그램에 디자인을 접목하여 '한글, 파워포인트, 엑셀 디자인'이라는 재능을 찾아냈습니다. 그리고 더 나아가 렘넌트 서밋 교육에도 디자인이 필요하다는 생각으로 확장되어 '렘넌트 서밋을 위한 책, 온라인 강의, 컨설팅, 출판사, 연구소, 대학'까지 꿈꾸게 되었습니다.

오해하지 말 것은 너무 하나에만 매달리는 완벽주의가 되면 안 됩니다. 완벽주의에 사로잡힐수록 실패가 두려워 아무것도 실행하지 않는 바보가 됩니다. 일단 첫 번째 달란트는 집중해서 실력을 쌓아야 합니다. 그래서 80~90%의 실력이 되면 나머지 10~20%를 채우려 애쓰지 말고, 두 번째 달란트를 50~70%, 세 번째 달란트를 20~30%로 키웁니다. 그렇게 하면, 합이 100%를 넘게 됩니다. 두세 분야의 달란트를 갖추면 지식이 융합되어 한 분야만 아는 전문가가 전혀 보지 못하는 창조적인 아이디어를 생각할 수도 있게 됩니다. 즉, 라이센스는 없다 하더라도 전공자를 뛰어넘는 실력을 갖출 수 있게 됩니다.[6)]

이런 방식으로 '일당이, 일당삼'을 해내게 된다면 전문가가 100%를 할 때 여러분은 120%, 150%도 해낼 수 있게 됩니다. 그 정도만 되어도 여러분은 경쟁력을 갖게 됩니다. 두세 명이 할 일을 (다소 완벽하진 않더라도) 다른 사람의 도움 없이 혼자 해낼 수 있으면 1인 기업이 가능하다는 뜻입니다. 그래서 '일당이'만 되어도 여러분은 사람들이 모여들 수밖에 없는 플랫폼이 됩니다.

---

6) 자격증, 졸업장보다 더 중요한 것은 실력을 갖추는 것입니다. 실력이 있으면 라이센스는 필요에 따라 언제든 따면 됩니다. 라이센스가 없어도 실력이 갖추어졌다면 그 사람은 '무관의 제왕'이 됩니다.

제6화

자신감을 높이는 방법

36,000원으로 자신감 수치가 +1

하루는 유튜브를 보다가 한 비즈니스 유튜버의 영상을 봤는데, 자신의 사업 방법을 다른 사람도 실천해서 성공했다는 이야기였습니다. 그래서 저도 그 방법을 한번 따라 해 봤습니다.

그 유튜버는 자신이 할 수 있는 작은 일을 하나 정해서 재능마켓 사이트에 올렸고, 이후 점점 수요가 생겨서 사업으로 확장했다고 했습니다. 그 이야기를 듣고 '내가 무엇을 할 수 있을까?' 생각해보니, 글이었습니다. 그 당시 저는 약 1년간 책을 읽고 '세계관 치유'라는 글쓰기를 매주 실천한 덕분에 글을 어느 정도 정돈되게 쓸 수 있었습니다. 그리고 출판사에서 편집자로 근무한 이력을 살려서 '생각을 글로 정리해 주는 일'을 시도해 보았습니다.

재능마켓 사이트에 가입한 후 '생각을 글로 정리해 주는' 서비스를 등록했는데, 처음 몇 주 동안은 아무 반응이 없었습니다. 그래서 프로필을 다시 꾸미고 포트폴리오와 소개 문구 등을 다시 수정했습니다. 그러나 역시 반응이 없었습니다.

아무 반응이 없는 이유가 뭘까 고민하다가, 다시 그 유튜버의 영상을 보니 그는 홈페이지를 만들라고 했습니다. 그래서 홈페이지 무료 제작 사이트를 통해 꼬박 이틀 동안 사이트 만들기에 전념했습니다. 힘들게 홈페이지를 만들어서 재능마켓 서비스 홍보 문구에 사이트 주소를 넣었는데, 외부 연락처를 넣을 수 없다고 해서 별수 없이 뺐습니다. 비록 이틀 동안 고생한 것이 완전 헛수고가 되었지만, 돈 한 푼 들이지 않고도 조금만 노력하면 홈페이지를 만들 수 있다는 사실을 알게 되었습니다.

그로부터 한 2주쯤 지나서 드디어 첫 문의가 왔습니다. 성심성의껏 답변을 달았지만 더 이상 추가 문의는 없었습니다. 아쉬운 마음이 들긴 했어도 문의가 온 것 자체가 신기했습니다.

3주쯤 지나자 두 번째 문의가 들어왔는데 물건 상세페이지 광고 글을 써 달라는 의뢰였습니다. 그래서 간단한 샘플을 보냈더니 제 서비스를 구매한다면서 포토샵으로도 작업해줄 수 있냐는 질문이 왔습니다. 순간 당황했지만 일단 가능하다고 답했습니다. PSD 작업 견적은 전혀 생각하지 않아서 45,000원으로 견적을 보냈고, 그 의뢰인은 수락하여 결제해 주었습니다. 포토샵은 제가 익숙하지 않은 프로그램이 아니어서 공부하며 작업을 하다 보니 마무리하는 데 3일 정도가 걸렸습니다. 그러나 다행히 의뢰인은 만족해서 수정 없이 바로 구매 확정을 해 주었고 사이트 수수료 20%를 제한 36,000원이 들어왔습니다.

저는 첫 수입에 기분이 상당히 좋았습니다. 나중에 다른 서비스들을 검색해보니 제가 아주 싸게 해 주었다는 걸 알았지만, 그건 중요하지 않았습니다. 서비스 기획, 홍보, 판매까지 전 과정을 혼자서 해냈다는 것, 그 자체만으로도 자신감이 상승했습니다. 무자본으로 36,000원을 거둔 이 첫 경험은 '불가능은 없다.'라는 사실을 더 확실히 알려주었습니다. 그리고 얼마 후 또 다른 작업 의뢰가 들어와 추가로 36,000원의 수입을 얻었습니다.

이 경험으로 저는 크게 세 가지를 얻었습니다. 첫째, 무자본으로 사업을 시작할 수 있다는 것, 둘째, 모든 조건이 완벽하게 갖춰지지 않아도 일단 도전하고 부딪히면 일이 된다는 것, 셋째, 아주 작은 것이라도 누군가는 내 서비스를 필요로 한다는 것이었습니다. 곰곰이 생각해보니 고등학생 시절 우스갯소리로 사업을 하고 싶다고 했었는데, 지금까지 까맣게 잊고 있다가 뒤늦게 생각이 났습니다. 몇 년 전만 해도 '나는 아무것도 할 수 없다.'라고 생각했는데, 작은 산을 하나 넘고 나니 '이젠 무엇이든 할 수 있다.'라는 생각으로 완전히 바뀌었습니다.

아직 끝나지 않았다

저는 이것으로 만족하지 않고, 두 번의 작업을 되돌아보았습니다. 일단 수입 대비 시간이 너무 많이 들었기 때문에 이런 식으로는 일감이 계속 들어와도 지속하기가 쉽지 않을 것 같았습니다. 서비스 가격을 더 올리고 일이 익숙해져서 시간이 단축된다고 하더라도, 결국은 또 다른 '파이프라인'이 필요하다는 결론이 났습니다.

그러던 중 우연히 유튜브를 보는데 PDF 전자책 투잡에 대한 광고가 눈에 들어왔습니다. 평소 같으면 건너뛰었을 텐데 그날은 그 광고를 끝까지 보고 광고에 나온 PDF 전자책을 사서 읽었습니다.

그 PDF 전자책의 내용은 짧았지만 제게 신선한 충격을 주었습니다. 제가 세운 목표인 '세계관 치유'를 구체화하는 방법일 수 있겠다 싶었습니다. 그래서 바로 그날부터 글을 쓰기 시작하여 일주일 만에 이 책의 초안을 완성했고, 1~2주 동안 전자책으로 만들어 판매했습니다. 그리고 1년 후에는 단행본으로 출간했다가, 2년 후인 지금은 다시 개정증보판으로 내게 되었습니다.

처음 이 글을 쓸 때는 '과연 이 책을 사람들이 볼까?' 하는 의심도 들긴 했지만, 만약 한 명이라도 본다면 그분에게 꼭 필요한 내용을 써야 한다고 생각했습니다. 그리고 많은 사람이 보지 않아도 책 쓰기 도전을 함으로써 작가라는 꿈에 한 걸음 더 가까이 갈 것이라고 믿었습니다. 또한 이런 경험들이 차곡차곡 쌓이면 분명히 '에디슨의 필라멘트'처럼, 'J. K. 롤링의 해리 포터'처럼 많은 사람에게 영향을 미치는 날이 올 거라는 기대가 부풀었습니다. '남들이 뭐라 하든 말든, 나는 하나님이 내게 주신 나만의 길을 가야 하는구나.'라는 확신도 섰습니다.

그 이후에도 저는 이런저런 도전을 계속했습니다. 구매대행 스마트스토어, 유료이미지 판매, 사이트 디자인, 발표문 작성 서비스, 물건 상세페이지 작성 서비스 등 이런저런 도전을 했습니다. 물론 대부분 실패했고, 하나도 판매하지 못한 것들도 꽤 있었습니다. 그러나 여러 가지를 시도한 결과, '문서 디자인 서비스'만 살아남아 여전히 계속하고 있습니다. 그리고 이 서비스를 통해 한 업체로부터 정기적으로 외주 작업도 받아서 일하고 있습니다.

그러면서도 약 2년간 매주 '세계관 치유' 글을 써서 예배 시간에 독서 포럼인 '서밋타임' 발표를 하며 영상을 촬영했습니다. 발표 자료들이 어느 정도 쌓인 후, 2024년에 출판사 등록을 해서 두 번째 책과 온라인 강의 서비스, 아마존 E-book을 출간했습니다. 그리고 몇몇 분들과 일대일로 상담했던 경험을 바탕으로 대학 컨셉의 일대일 컨설팅 서비스도 진행했습니다. 여전히 모르는 것도, 부족한 점도 많아서 하나씩 찾아서 배우며 하느라 천천히 가는 중이지만, 그래도 제 도전은 계속 진행 중입니다.

[재능 서비스]
HWP 디자인
편집

[전자책]
우울증을 끝내는
방법+상담

[전자책2]
인생이 바뀌는
10권의 독서 여행

[온라인 클래스 1]
나의 CVDIP를
찾아라

[온라인 클래스 2]
렘넌트 서밋의
경제교육

[단행본]
미래 살릴 렘넌트
서밋을 키우라

[아마존 E-book]
The moment
depression turns
to hope

[일대일 컨설팅]
Holy-O.U.R. 대학

당신은 누구인가

'여러분은 누구입니까?' 혹시 한 번도 생각해 본 적이 없다면, 지금 해 보시기 바랍니다. '나는 누구인가, 나는 어떤 존재인가?'

이름, 나이, 성별, 출신, 직업이 아닌 진짜 나의 모습정체성을 정확히 알아야 합니다. 심리학에서 다루는 성격 분석도 여러분을 완벽하게 대변하지 못합니다. 그것은 단지 통계에 불과합니다. 심리학도, 사주도 결국은 통계입니다. 통계는 '설문 집단'의 수치에 불과할 뿐, 모든 수를 대변할 수 없습니다.

제게는 조카가 한 명 있습니다. 조카는 태중에 있을 때부터 미숙아였습니다. 검사 결과 태아에게 약간 문제가 있다는 의사의 이야기를 듣고 오빠는 펑펑 울었다고 합니다. 게다가 새언니는 임신 중독이 심하게 오는 바람에 7~8개월 만에 제왕절개를 할 수밖에 없었습니다. 배 속에 있을 때 이미 미숙아 상태였는데 일찍 나오기까지 했으니, 조카는 5~6개월 정도의 발육 상태로 출생하여 곧바로 인큐베이터 생활을 하게 되었습니다.

조카는 생사기로에 있다가 양가 가족의 기도 덕분에 무사히 퇴원했습니다. 신체적으로 문제가 있던 부분은 여러 차례 수술을 통해 어느 정도 해결이 되었습니다. 그런데 어느 날 또 다른 문제가 왔습니다. 아기가 혼자 앉지를 못하는 것이었습니다.

새언니는 결혼 전에는 보육교사였고 결혼 후에는 유아교육과 석사 과정을 밟고 있었습니다. 유아에 대해 전문가였으니, 얼마나 더 불안했을까요. 발달 단계에 따르면 벌써 걸어 다닐 시기인데 도통 혼자 앉지 못하니 말입니다. 그래서 하루는 제가 휴가를 내어 오빠 집에 갔습니다. 조카를 붙들고 혼자 앉히는 연습을 시켰습니다. 넘어지려 하면 옆을 받쳐주기를 여러 차례 했더니, 처음에는 낑낑대며 픽 쓰러지던 조카가 어느새 15초까지 버티게 되었습니다.

그런데 집에 돌아오는 길에 인터넷 검색을 하니까, 아기한테 그런 훈련을 시키면 안 된다는 글이 눈에 띄었습니다. 조금 전까지는 기쁜 마음이었는데, 이상하게 그 글을 보는 순간 덜컥 겁이 났습니다. 그래서 오빠한테 바로 문자를 보냈습니다. 너무 많이 연습시키지 말고 몸 주변에 베개나 인형으로 지지해 주는 식으로 하라고 알려 주었습니다. 그러고 나서 조카에게 아무 이상이 없기를 계속 기도했습니다.

며칠 후 주말에 오빠 연락이 왔습니다. 조카가 이제 혼자 앉는다는 것이었습니다. 그 말을 듣는 순간 모든 불안, 걱정, 근심이 싹 사라졌습니다. 이후 조카는 서기, 걷기, 말하기 모두 또래보다는 약간 늦었지만 기다려주니까 점차 순서대로 해내기 시작했습니다. 걱정은 기우에 불과했습니다.

이 이야기처럼 '아기가 몇 개월에 앉고, 서고, 걷고, 말해야 합니다.'라는 정보들은 모두 통계에 불과합니다. 다 저마다의 시간표와 타이밍이 있는 것인데, 평균치에 들지 못하면 불안해하는 게 우리의 모습입니다.

예를 들어 아기 100명을 대상으로 확인하면 조금 일찍 발달하는 아기가 있고, 조금 늦게 발달하는 아기도 있습니다. 그러나 실험 결과는 실험 집단의 평균값 또는 중앙값을 내서 '아기는 대부분 7~8개월쯤에 앉고 선다.'라고 뭉뚱그려서 알려 줍니다. 그리고 연구자가 의도한 주제에 맞는 결과만 알려줍니다.

그러나 자세히 살펴보면 실제로는 5개월 만에 앉는 아기가 있고, 15개월 만에 앉는 아기도 있습니다. 아기들이 모두 정확하게 7.5개월 만에 앉지 않는다는 뜻입니다. 평균값은 평균값일 뿐, 전체를 대변하지 않기 때문에 정답이 아닙니다. 왜냐하면 인간은 공장에서 만들어낸 상품이 아니기 때문입니다.

저는 심리학을 공부하면서도 이 사실을 깨닫지 못했습니다. 그저 유명 학자들이 말하고, 논문 자료가 있으면 그것이 정답이라고 생각했습니다. 그런데 <나의 다메섹>을 통해 발견된 나만의 사명을 목표로 붙잡고 제대로 된 도전을 시작하자 지금까지 나를 괴롭히던 모든 문제, 걱정, 근심들은 그저 내 머릿속의 착각에 불과했다는 것을 알게 되었습니다. 부정적인 과거의 상처들이 내 발목을 붙잡고 있었는데, 그 생각의 패턴을 끊어내어 과거를 재해석하고 오늘의 삶을 바꾸어 하나님께서 내게 주신 전무후무한 미래로 재창조하는 삶이 언약의 여정임을 알게 되었습니다. 이 사실들을 깨닫자 이미 내 인생은 하나님의 예정 속에, 즉 하나님의 손에 달려 있다는 확신이 들었습니다.

여러분은 누구인가요? 여러분은 하나님의 형상을 닮은 자, 이 세상을 정복하고 살리기 위해 선택된 '남은 자' 렘넌트입니다. 나이가 어리다고 렘넌트가

아닙니다. 나이와 상관없이 렘넌트 정신을 가져야 렘넌트입니다. 그리고 렘넌트 서밋은 언약을 붙잡고 하나님의 미션을 확신하며, 가장 가치 있는 작품을 남기기 위해 결단하고 도전하는 정복자의 인생을 살아야 합니다.

이에 대해 동의하며 확신을 갖고 하나님이 원하시는 인생을

살아갈지는 여러분의 선택에 달려 있습니다. 과거의 선택이 여러분의 오늘이 된 것처럼, 오늘의 선택은 여러분의 미래가 되고 또 영원으로 남겨질 것입니다.

제7화

삶의 이유

나에게 맡겨 주신 배역을 찾을 때

『이야기 교회사』 7)를 쓴 김기홍 교수가 말하기를 '인간은 역사에 등장해서 자신의 배역을 수행한다.'라고 했습니다. 역사는 인간의 희로애락과 흥망성쇠가 반복되어 나타난 것인데, 그 안에서 인간들은 자기 역할을 다하고 어디론가 사라진다는 것입니다. 마치 어느 감독이 만든 연극에 세워진 배우들처럼 우리 모두 각자의 역할을 맡고 있다는 의미이죠.

여러분은 이 '역사'라는 연극 안에서 어떤 배우가 되길 원하시나요? 평생 우울증에 시달리다가 자살하거나, 또는 혼자서 끙끙

---

7) 김기홍(2010). 『이야기 교회사』. 두란노.

앓다가 껍데기만 장수하는 역을 원하시나요? 아니면 내 문제의 진짜 원인을 발견하여, 문제를 해결하고, 이를 발판 삼아 많은 사람을 살리는 역할을 하고 싶으신가요?

대부분 인생에서 성공을 추구하는데, 과연 성공이란 무엇일까요? 단순히 부와 명예를 얻는 것이 성공은 아닙니다. 부와 명예를 얻고도 비참하게 생을 마감한 유명인들이 너무나 많습니다. 그래서 부와 명예는 겉으로는 성공인 것처럼 보여도 실제로는 성공이 아닙니다.[8] 성공의 개념은 '어떤 분명한 목표를 세우고, 그 목표에 도달하기 위해 도전하여 성취한 것'을 말합니다.

그렇다면 우리는 어떤 인생의 목표를 세워야 할까요? 나 혼자만 잘 먹고 잘사는 것을 인생의 목표로 세운다면 근시안적인 생각입니다. 우리는 세계라는 공간에 살고 있습니다. 그래서 나와 내 주변이 모두 살아야 전체가 살아납니다. 내 주변 사람들이 죽어가고 있으면 그것은 언젠가 반드시 부메랑이 되어 나에게 돌아옵니다. 따라서 나와 내 주변을 모두 살려야 합니다. 그래서 '나를 살리는 것'이 내 주변과 세계를 살리는 것이고, 반대로

---

8) 에베소서 6장 13절에 따르면 하나님과 함께하심을 힘입어야 모든 일을 행한 후에 설 수 있다고 전합니다. 이 말은 곧 하나님과 상관없는 성공, 사단의 능력을 힘입어 성공하면 결국 가장 높은 곳에 섰을 때 사단이 자빠뜨린다는 것입니다. 따라서 우리는 언약을 붙잡고 하나님과 동행하며 각인, 뿌리, 체질을 바꿔 가는 훈련을 해야 합니다. 그러면 정확한 타이밍에 하나님의 시간표가 반드시 오게 됩니다.

'세계를 살리는 것'이 나를 살리는 것입니다.

우리는 동물이 아닙니다. 진화론, 유물론, 공산주의 등의 사상이 인간의 가치를 동물 수준, 자연 수준으로 깎아내리고 있지만 속으면 안 됩니다. 인간은 생각과 마음과 영혼을 가진 존재이며, 모든 만물을 다스리는 가장 존귀한 존재로 창조되었습니다. 그래서 인간은 마음속에 구멍이 나면 이것을 내버려 두지 않고 채우기 위해 이런저런 노력을 하는 아주 수준 높은 존재입니다. 아무리 강아지가 똑똑해도 우울증을 해결하기 위해 스스로 노력하지 않습니다. 따라서 만약 여러분이 구원을 받았는지 고민한다거나 하나님의 계획이 무엇인지 몰라서 고민한다면, 그 고민하는 것 자체가 성령으로 말미암은 것이기 때문에 '내가 이미 하나님의 택함을 받았다.'라는 사실을 확신하기만 하면 됩니다.[9]

하나님께서 내게 주신 삶의 이유는 각자 스스로 찾아야 합니다. 부모님, 선생님, 목회자가 삶의 이유를 찾는 데 도움을 줄 수는 있지만 그 도움을 받아 자기만의 길, 자기만의 미션을 찾는 것은 결국 하나님과 일대일로 대화하며 스스로 찾아 결단해야 합니다. 모든 사람이 저마다의 배역이 있는 것처럼, 저는 제

---

9) 고린도전서 12장 3절 하반절 "... 또 성령으로 아니하고는 누구든지 예수를 주시라 할 수 없느니라" 즉 하나님의 택함을 받지 않았다면 구원받았는지 고민조차 하지 않는다는 의미입니다. 쉽게 말하자면, 아들이라면 '내 아버지가 친아버지인가?' 고민하지만, 아들이 아닌 사람은 그런 고민조차 안 한다는 뜻입니다.

역할을 다하고 여러분은 여러분만의 역할을 찾아 도전한다면, 이 '역사'라는 연극은 감독자의 계획대로 완벽하게 되어질 것입니다.

끝으로, 이 '역사'의 감독은 누구일까요? 바로 하나님이십니다. 하나님을 떠났던 우리가 그리스도를 통해 하나님을 만나고 하나님이 맡겨 주신 배역을 잘 수행해낸다면, 우리의 삶은 하나님께서 반드시 책임지십니다. 즉 하나님이 주신 사명을 찾아 정복자의 자세와 그릇을 갖추고 그 언약의 여정을 걸어가는 것이 바로 '참 성공'입니다.

Chapter 3

〈나의 다메섹〉의
진짜 의미

〈나의 다메섹〉은 하나님께서 내 인생을 어떻게 이끄셨고 앞으로 어떻게 이끄실지를 확인하며, 내게 주신 사명을 위해 달려가겠다는 전도자의 고백입니다. 그래서 나만의 여정을 계속 업데이트하여 바울서신처럼 후대를 위한 자료로 남겨야 합니다.

제8화

〈나의 다메섹〉은 **인생 편집**이다

시달리는 인생

하루는 어떤 여자분이 제게 메일을 보내왔습니다. 그분은 10대 때부터 지금까지 10년 넘게 죽음에 대한 공포에 시달리며 불면증에 시달렸습니다. 최근 들어 그 증상이 심해져서 '네이버 지식in'에 질문을 올리려고 들어왔다가, 다른 사람의 질문에 달린 제 댓글을 정독하고 눈물이 났다고 합니다. 그래서 도움을 받고 싶어서 제게 메일을 보냈던 것입니다.

그분은 자기가 죽으면 어떡하지, 부모님이 죽으면 어떡하지, 내 아이는 어떡하지 등 온갖 죽음에 대해 공포를 느끼고 있었습니다. 10대 때는 우울증, 공황장애를 겪었고, 지금은 주변에 말도 못 하고 매일 밤 혼자 죽음의 공포에 시달리고 있었습니다.

저는 그분의 인생이 너무 안타까워서 답변 메일을 보냈습니다. 먼저, 모든 사람은 한 번은 반드시 죽는 시한부 인생이란 사실을 짚어주었습니다. 그래서 남은 인생을 의미 있게 살아가려면 부정적인 생각부터 바꿔야 한다고 알려주며, 몇 가지 도전 과제를 주었습니다. '전 세계가 코로나로 난리일 때 코로나도 빗겨 간 사람이 바로 당신'이라고 얘기해 주고, 이 엄청난 행운을 기억하며 남은 삶을 의미 있게 살아야 한다고 강조했습니다. 그분은 고맙다면서 한번 도전해보겠다고 했습니다.

사람은 한번 무언가에 꽂히면 꽂힌 대로 보고, 꽂힌 대로 생각하고, 꽂힌 대로 믿으며 살아갑니다. 한번 '죽음'이 꽂히니까 매 순간이 죽음과 연결될 수밖에 없습니다. 만약 그 꽂힌 것을 빼내지 못하면 어떤 말도 귀에 들리지 않게 됩니다. 그래서 치유에서 가장 먼저 해야 할 것은 잘못 꽂힌 것, 잘못 각인된 것을 빼내어 꼬여 있는 실타래를 풀어야 합니다. 그러고 나서 새로운 것을 채워 넣어 인생을 새롭게 편집해야 합니다.

가치 있는 삶을 위한 인생 편집

다중지능연구소의 연구원이자 작가로 활동하는 서정현은 『인생 편집』10)을 통해 '명품 인생을 원한다면 편집력을 갖추어야 한다.'라고 전했습니다. 시간은 유한하므로 반드시 인생을 편집해야 합니다. 즉 각자에게 정해져 있는 한정된 시간을 가장 의미 있고 가치 있는 것에 써야 효율적이라는 것이죠.

편집의 시작은 하나의 콘셉트를 정하는 것에서부터 시작합니다. 콘셉트는 삶의 방향성으로 '어떻게 살겠다.'를 정하는 것이며, 이는 평생 직업으로도 연결됩니다. 즉 이것저것 타인이 정해 주는 대로 살아가는 인생이 아니라, 자신이 해야 할 것 또는 천직(천명)을 찾아내어 분명한 하나의 컬러, 하나의 브랜드를 만들어 가기 위한 시작을 말합니다. 따라서 콘셉트를 정하는 것은 불필요한 가지들을 쳐내고 내가 가야만 하는 길을 하나로 좁혀나가는 '제한'의 과정을 말합니다. 그렇게 콘셉트가 정해지면, 그 콘셉트에 맞게 내용물을 채워가는 '집중'의 과정이 필요합니다. 이 둘을 합치면 한마디로 '제한적 집중'입니다. 인생의 설계도 또는 로드맵이 되는 '목차'를 짜서 인생 전체의 흐름을 파악하고, 취할 것과 버릴 것을 구분하며, 상위 요소와 하위 요소를 정리하는 것입니다.

저자는 인생의 본질이 '타고난 저마다의 의미를 찾는 일'이라

---

10) 서정현(2014). 『인생 편집』. 함께북스.

면서, 인생 편집을 통해 '본질만 남기고 압축하여 결국에는 핵심 (주제)으로 최적화해야 한다.'라고 말합니다. 이 과정에 시간을 투자하여 다듬어 나가면 명작이 나올 수밖에 없죠. 그래서 편집력은 1인 기업가 정신, 지도자 정신과 일맥상통합니다.

인생이 편집된 후에는 명품 인생을 만들어 가는 자세, 즉 '장인 정신'이 필요합니다. 즉 장인처럼 한 가지에 집중(몰입)하여 시간을 투자함으로써 최고의 것을 만들어나가는 과정이 바로 '선택적 집중'입니다.

또한 우리가 분명한 콘셉트로 살아갈 때, 마치 양자역학의 원리처럼 인생의 파장이 물질을 변화시켜 같은 뜻을 가진 사람들이 모여듭니다. '한마음 한뜻'을 가진 자들의 만남이 더해질수록 그 세력은 강화되어 더 큰 영향력을 끼칠 수 있게 됩니다. 이것을 '원네스(Oneness) 집중'이라고 합니다.

하나님의 절대 계획

책 한 권이 출간될 때에는 많은 사람의 이해관계를 거쳐 만들어지는데, 이때 가장 중요한 것은 출판사의 의도입니다. 그래서 출판사와 작가의 뜻이 맞으면 꽤 괜찮은 책이 나옵니다.

만약 우리의 인생을 한 권의 책이라고 한다면, 하나님은 출판

기획자인 동시에 최종 편집자이고, 우리는 전속 작가입니다. 즉 우리가 하나님의 뜻과 의도를 알 때 제대로 된 작품을 만들 수 있고, 조금 실수하거나 부족해도 하나님께서 최종 수정하여 완성해 나가십니다.

하나님은 각 사람에게 저마다의 분명한 계획(절대 계획)을 갖고 계십니다. 불안과 공포에 시달리거나 엉뚱한 것에 집착하는 삶이 아니라, 예수가 그리스도라는 확실한 언약을 붙잡고 하나님이 주신 달란트로 세상을 살리는 값진 인생을 살겠다는 콘셉트를 정하여 그 목표를 향해 도전하고 정복하길 원하십니다.

이를 위해 예수가 나의 그리스도이심을 확인하고 언약을 바탕으로 자신의 인생을 편집하기 위해 <나의 다메섹>을 써 보아야 합니다. 나에게 잘못 각인된 것들을 글로 써서 눈으로 확인하고, 잘못 각인된 패턴들을 바로잡아야 합니다. 그리고 복음과 언약으로 재각인하여 하나님께서 가장 원하시는 유일무이한 걸작 인생으로 만들어 가야 합니다.

여러분의 과거, 현재, 미래를 모두 재해석하여 하나님의 절대 계획을 발견해야 합니다. 모든 것을 내 수준이 아니라 하나님의 수준으로, 내 관점이 아니라 하나님의 관점으로 바라보아야 합니다. 그때 비로소 세계 복음화, 237 복음화를 이룰 시스템이 준비되어집니다.

이를 위해 가장 먼저 <나의 다메섹>을 통해 과거를 말씀으로 재해석하며 인생을 편집CVDIP해야 합니다. 그리고 오늘의 삶 속에서 기도의 비밀을 누리며 하나님과 함께하는 여정을 설계WIO해야 합니다. 그래서 결국은 여러분의 전문성을 전무후무한 작품으로, 후대에 남길 유산으로 남길 수 있도록 미래를 디자인OURS해야 합니다. 이 과정을 차근차근 밟아나갈 때 하나님께서 여러분의 인생을 영원의 작품으로 완성해 나가실 것입니다.

제9화

〈나의 다메섹〉은 **전도자의 결단**이다

/

〈나의 다메섹〉에 대한 오해

2019년 5월, 저는 제 인생에서 끊임없이 반복되던 문제를 또다시 마주하게 되었을 때 드디어 〈나의 다메섹〉을 쓰게 되었습니다. A4 4장에 내 인생을 써 내려가며 처음으로 제 삶을 객관화해보는 집중을 한 것입니다.

그날 밤, 저는 나와 우리 가정을 붙잡고 있던 창세기 3장 문제가 단순히 설교 말씀이 아닌 '나와 내 가정의 실제적인 문제'였음을 깨닫게 되었고, 나에게 '오직 그리스도만 필요한 이유'를 발견하게 되었습니다. 그때 제가 붙잡은 미래(미션)는 '교육'이었습니다. 복음 안에서 해야 할 제대로 된 교육이 없었기 때문에 새로운 교육이 필요하다는 결론이 나왔기 때문입니다.

미션은 잡았지만 당장 무엇을 어떻게 해야 할지 몰랐습니다.

그러나 일단 그렇게 미션을 잡고 정명서 목사님의 코칭11)을 받아 부족한 부분을 채우기 위한 연구를 시작했습니다. 그러자 시간이 지나면서 점점 '세계관 치유'로, 다시 '렘넌트 서밋 메이커'로 미션이 구체화되었습니다. 그리고 나 자신과 세상을 바라보는 관점을 바로잡기 위해 나를 연구대상으로 삼고 '나부터 바꾸는 도전'을 실천했습니다.

인생 결단과 도전을 했을 뿐인데, 예전의 저와 비슷한 상황에 있는 몇몇 분들이 연결되기 시작했습니다. 저는 그분들에게 다른 것은 알려줄 수가 없었고, 단지 제가 했던 도전 과정들을 그분들도 시도해 볼 수 있도록 안내해 주었습니다. 그러나 그 과정을 실천하게 하는 것이 생각보다 쉽지 않았습니다. 그래서 무엇을 개선할 수 있는지 곰곰이 생각하며 책을 찾다가, 한 책을 통해 <나의 다메섹>에 대한 오해를 바로잡게 되었습니다.

단순히 정신 치유 수단?

혹시 트라우마를 경험한 적이 있으시나요? 트라우마는 정신적

---

11) 목사님은 가장 먼저 제가 궁금해하는 것이 무엇인지 확인하신 후 그것과 관련된 책을 추천해 주셨습니다. 그리고 그 책의 간단한 특징(저자의 영적 상태, 기존 책과 다른 점, 독서 포인트 등)을 알려 주셨고, 강단 메시지와 어떻게 연결해서 봐야 하는지를 알려 주셨습니다. 물론 처음에는 무슨 말인지 하나도 이해되진 않았습니다. 그러나 그런 과정들이 몇 년 동안 반복되면서 아주 조금씩 목사님의 말씀이 이해되었고, 생각이 확장되었습니다. 그래서 어느 순간부터는 스스로 책을 고를 수 있게 되었고, 새롭게 찾아낸 정보들을 목사님과 공유할 수도 있게 되었습니다.

외상이나 충격을 뜻하는 말로, PTSD외상후스트레스장애를 유발합니다. 즉 트라우마가 원인(충격적 사건)이라면, PTSD는 결과(내적, 외적으로 나타나는 증상)입니다.

PTSD를 유발하는 대표적인 트라우마(충격)로 전쟁이 있습니다. 그래서 미국에서는 전쟁 군인의 PTSD 치료를 위해 국가 자금을 투자하여 연구를 진행했습니다. 그 결과물로 나온 연구물이 바로 『외상후스트레스장애의 쓰기노출치료』12)입니다. 이 책에서는 'WET(쓰기노출치료)'라는 심리 치료법을 소개하는데, 트라우마 치료에 자주 쓰이는 PE(지속노출치료)나 CPT(인지처리치료)를 대체하는 치료법입니다.

일반적으로 PTSD 치료는 '치료적 노출'과 '인지 처리·인지 재구성'이라는 두 가지 요소를 통해 치료가 이루어집니다.

첫 번째 요소인 '치료적 노출'은 충격적 사건이 더 이상 고통스럽지 않을 때까지 계속 반복적으로 그 사건에 직면하는 것입니다. 과거에는 '반복적 직면이 트라우마 공포 반응을 소거시킨

---

12) 데니스 M. 슬로안, 브라이언 P. 마르크스(2022). 『외상후스트레스장애의 쓰기노출치료』. 하나의학사.

다.'라는 가정하에 치료가 이루어졌는데, 최근에는 '내성을 학습한다(트라우마 신호에 새로운 반응을 배우거나, 직면하는 일을 견딜 수 있다.).'라는 가정으로 바뀌었습니다.

두 번째 요소인 '인지 처리·인지 재구성'은 트라우마 사건과 관련된 인지, 감정, 의미를 평가하여 '사실 정보와 일치하지 않는 인지적 신념을 교정하는 것'을 말합니다. 트라우마 기억을 반복적으로 이야기하는 과정을 통해 트라우마와 관련된 인지를 교정하는 것입니다.

기존의 트라우마 치료(PE, CPT 등)는 이 두 가지 요소를 다루기 때문에 효과가 있습니다. 그러나 한 회기에 50~90분씩 총 12회에 걸쳐 이루어지기 때문에 조기 중단율이 높다는 단점이 있습니다. 그래서 이에 대한 대안으로 WET가 개발되었습니다.

WET의 특징은 '말로 이야기(내러티브)'하는 대신 '글로 쓰기'를 통해 트라우마 상기 요인에 직면(노출)하게 하는 점입니다. WET는 회기당 40~60분씩 총 5회기에 걸쳐 이루어집니다. 회기당 트라우마 사건 또는 그 사건이 자신에게 미친 영향을 자세히 쓰고, 그 글을 쓴 경험에 대해 느낀 점을 대화하는 방식입니다. 이때 중요한 것은 '한 가지 사건에 집중하게' 하고, 또한 '쓰기에 완전히 몰입하게' 하는 것입니다. 그래서 만약 3회기가 되어도 상처에 직면하지 못하거나, 글쓰기에 몰입하지 못하는 사람에게는 치료 중단을 권하기도 합니다.

이 책은 <나의 다메섹>이 가지는 정신 치유 효과에 대한 근거 자료가 되었습니다. 그러나 WET는 근본적인 영적 문제에 대한 답을 주지 못하고, 치유 이후의 것도 제공하지 못한다는 점에서 한계를 드러냈습니다. 이 WET와 <나의 다메섹>의 차이를 비교해 보다가, 제가 지금까지 <나의 다메섹>을 단지 WET와 같은 심리 치유 수단 정도로만 생각했다는 것을 깨닫게 되었습니다.

바울의 고백, 나의 고백

우리 인생은 하나님의 절대주권 속에 있으므로 하나님께서 철저하게 주관하십니다. 그래서 그리스도를 만나는 사건이 있다는 것은 하나님의 엄청난 은혜이자 선물입니다. 그 사실을 발견하면 내 인생의 모든 순간순간이 하나님의 뜻을 위한 것이며, '오늘'이 바로 응답임을 알게 됩니다.

<나의 다메섹>은 아픈 과거지사를 나열하는 것도, 상처를 헤집는 것도, 단지 치유를 위한 것도 아닙니다. 상처를 뛰어넘어

하나님께서 주신 언약의 여정을 가겠다는 결단, 즉 빌립보서 3장, 디모데전서 1장의 바울의 고백처럼 '전도자의 고백'입니다.

즉 <나의 다메섹>은 그리스도만이 내 모든 문제의 답이라는 것을 깨달은 후 하나님이 나와 함께하심을 확인하는 것이고, 하나님이 주신 사명을 위해 살기로 작정하는 인생 결단의 이면계약입니다. 또한, 하나님 나라의 일을 위해 도전하는 전도자의 행적을 '사도행전 29장'으로 새롭게 기록하는 것입니다. 그래서 <나의 다메섹>은 하나님께서 내 인생을 어떻게 이끄셨고 앞으로 어떻게 이끄실지를 확인하며, 내게 주신 사명을 위해 달려가겠다는 전도자의 고백입니다. 그래서 나만의 여정을 계속 업데이트하여 바울서신처럼 후대를 위한 자료로 남겨야 합니다.

이제 잘못된 각인, 뿌리, 체질에서 빠져나와 과거, 현재, 미래의 모든 문제를 끝내기 위한 '집중'을 시작해야 합니다. 나만 가야 할 여정이 발견되면 과거의 문제가 더 이상 문제가 아니라 발판이 되어 새로운 인생으로 발돋움할 수 있게 됩니다. 이제 나만의 사명CVDIP을 찾아 24시간 집중하는 도전을 시작하시기 바랍니다. 그렇게 될 때 여러분의 모든 것들이 그 사명과 연결되며All-CVDIP, 모든 것을 살리는 쪽으로 변화시키는 전도자의 인생 All Change CVDIP이 펼쳐질 것입니다.

Chapter 4

〈나의 다메섹〉
실천편

누구나 문제를 겪습니다. 그러나 문제는 기
회입니다. 즉, 기회는 모두에게 주어지지만,
그 기회를 붙잡는 것은 개인의 결정에 달려
있습니다.

제10화

〈나의 다메섹〉을 써야 하는 **세 가지 이유**

1. 숨겨진 문제를 발견하기 위한 '진단용 글쓰기'

몇 년 전 갑자기 목과 어깨 쪽에 담이 걸린 것처럼 통증이 오고 한쪽 팔을 들 수가 없어서 병원을 갔던 적이 있습니다. 잠을 잘못 자서 담이 걸렸나 싶어 물리치료를 받았지만, 다음날이 되니까 더 아팠습니다. 그래서 이번에는 한의원을 가서 침을 맞았지만, 다음날 더 큰 통증이 느껴졌습니다. 심상치 않다 싶어서 신경외과를 갔는데, 의사가 이리저리 살펴보더니 목 디스크로 의심이 되니까 MRI를 찍어보라고 했습니다. 검사 결과 목 디스크였고 이후 한동안 목 디스크 치료를 받았습니다.

보이지 않는 부분에 문제가 생겨 MRI를 찍듯이, 보이지 않는 생각이나 마음에 문제가 생겼다면 글로 가시화해야 분석할 수 있습니다. 내가 무슨 생각을 하는지, 어떤 생각을 왜 하게 되었는지 눈에 보이는 글자로 드러내야 찾아낼 수 있습니다.

끊임없이 불평, 불만을 하는 사람은 비교 의식과 피해 의식에 사로잡혀 있는 경우가 많습니다. 불평, 불만의 눈으로 보면 세상 모든 것이 불평, 불만의 대상이 됩니다. 그런데 그 사람한테 그냥 '불평, 불만하지 말라'고 하면 그 사람에게 도움이 안 됩니다. 불평, 불만을 하게 된 이유를 찾을 수 있게 도와야 합니다.

자신의 인생을 바꾸려면 일단 '내가 어떤 생각을 하는지, 그 생각을 왜 하는지' 근본적인 부분을 파악해야 합니다. <나의 다메섹>은 자신을 끊임없이 괴롭히는 생각의 원인을 알고 치유의 방향을 찾기 위한 '진단용' 글쓰기입니다.

2. 하나님의 계획을 발견하기 위한 '재해석 글쓰기'

성경 사도행전에 보면 바울이라는 인물이 나옵니다. 그는 원래 그리스도를 믿는 자들을 핍박하고 죽이는 데 앞장서던 사람으로, 그리스도인을 죽이러 다메섹이란 곳을 향해 가고 있었습니다.

다메섹에 도착할 때쯤, 갑자기 하늘로부터 강한 빛이 바울을 향해 비추었고 그 빛 가운데 바울은 자신이 그토록 핍박해온 그리스도를 만났습니다. 그런데, 그 사건으로 인해 눈이 멀게 되었습니다.

여기서 잠깐, 왜 하나님은 그리스도를 핍박한 바울을 죽이지 않고 단지 눈만 멀게 하셨을까요? 바울만 죽이면 초대교회 성도들도 살리고 문제가 간단히 해결될 수 있는데 왜 그렇게 하지 않으셨을까요?

바로 더 큰 계획이 있으셨기 때문입니다. 그리스도를 만나기 전의 바울은 엘리트 중의 엘리트였습니다. 자신의 행동이 하나님의 뜻을 대적하는 삶인지 몰랐다가, 다메섹 도상에서 그리스도를 만난 후 자신이 죄인 중의 죄인이었음을 안 것입니다. 그런 그를 하나님께서 '이방인을 살릴 전도자'로 택하셨습니다.

새로운 인생과 사명을 부여받은 바울이 다시 눈을 뜨고 세상을 바라봤을 때 어땠을까요? 과거의 자신처럼 헛된 것에 집중하는 지식인들의 모습이 보였을 것입니다. 인간의 힘과 노력으로 무엇인가를 이루려 애를 쓰는 후대들이 보였을 것입니다. 그래서 그는 '더 많은 후대를 살리려면 교육을 개혁해야 하니까 회당으로 들어가야만 하는' 엘리트다운 전도 전략을 세웠습니다.

<바울의 다메섹>은 하나님 없이 콧대만 높아졌던 바울이 자신의 무능력을 확인하는 동시에 새로운 미션을 받는 시간표였습니다. 자신의 지식을 사람을 죽이는 데 쓰지 않고, 더 많은 사람을 살리기 위한 발판으로 바꾸게 된 인생 전환점이었습니다.

마찬가지로 여러분도 여러분의 삶을 복음으로 재해석하는 '다메섹 타임'을 가져야 합니다. 바로 그때 모든 과거는 더 이상 문제가 아닌 발판으로 변화됩니다.

3. 내가 가야 할 여정을 미리 보는 '재창조 글쓰기'

우리는 언제 죽을지 알 수 없는 시한부 인생을 살아가고 있습니다. 아무리 생명 연장, 불로장생의 꿈을 꾸더라도 언젠가 반드시 죽을 수밖에 없는, 또 언제 죽을지 알 수 없는 삶을 살아갑니다.

그러나 우리의 삶은 유한하므로 가장 가치 있고 귀합니다. 죽음이 있음으로 말미암아 삶은 더 중요해집니다.

따라서 우리는 우리에게 남은 시간을 아껴야 합니다. 남은 생애 동안 나만 할 수 있는 바로 그 일, 즉 하나님께서 내게 주신 사명에 집중해야 합니다.

'언약 속에서 붙잡은 사명을 이루는 데 필요한 것에 도전하고, 또 다음 세대에 전달하는 것', 이것이 여러분의 삶을 가장 의미 있게 만드는 방법입니다. 이 삶의 방향을 찾게 된다면 단 하루를 살아도 가장 값진 인생, 바로 '시대적인 인생'을 살아가게 됩니다. 즉 <나의 다메섹>은 과거-현재-미래가 연결되는 통합적 응답을 미리 보며 남은 생을 구체적으로 설계하는 '재창조 글쓰기'입니다.

누구나 문제를 겪습니다. 그러나 문제는 기회입니다. 즉, 기회는 모두에게 주어지지만, 그 기회를 붙잡는 것은 개인의 결정에 달려 있습니다. '나는 어떤 사람이 될 것인가'를 진지하게 생각해 보아야 합니다. 계속 과거에 붙잡혀 우울한 삶을 살다 갈 것인지, 아니면 나에게 주어진 최고 응답의 삶을 살다 갈 것인지 말입니다. 선택은 자유지만 그 선택으로 인해 남은 인생은 완전히 달라질 것입니다.

제11화

〈나의 다메섹〉 **작성 포인트**

1. 나의 과거①: 가정, 가문의 배경 조사하기

어린 시절 상처의 원인은 대부분 가정에 있습니다. 신체적, 정신적, 영적으로 유전된 것이 있고, 또는 성장 배경에서 겪게 된 가족과의 관계나 충격적인 사건 등이 상처로 각인되는 경우가 많습니다. 그래서 숨겨진 나를 발견하고 각인된 상처를 뿌리 뽑으려면 먼저 '가정, 가문의 배경'부터 자세히 살펴봐야 합니다.

일단 부모님, 조부모님, 외조부모님은 어떤 분들인지 확인해야 합니다. 조부모님과 아버지의 가정환경, 외조부모님과 어머니의 가정환경을 살펴본다면 왜 우리 가정이 이렇게 되었는지 알 수 있습니다. 더 나아

가 친척이나 조상 중에도 특이사항이 있는지 찾아보고 숨겨진 것들을 찾아내야 합니다.

예를 들면, 제사를 많이 지내거나, 무속인이 있거나, 장애나 유전 질환이 있거나, 알코올 중독자, 이혼, 자살, 범죄경력 등과 같은 특이사항을 찾아낸다면 내가 가진 문제가 어디서 어떻게 대물림되었는지 보이고, 아직 드러나지 않은 영적 문제를 미리 발견할 수도 있습니다.

아주 작은 단서라도 숨겨진 나를 파악하는 실마리가 됩니다. 부모님이나 친척을 통해 최대한 많은 정보를 찾아내어 관계도를 그려 보아야 합니다.

2. 나의 과거②: 가장 핵심 되는 상처에 직면하기

두 번째는 자기 자신을 조사하는 것입니다. 본인이 살아온 삶을 큰 사건 위주로 요약해서 작성하되, 가장 충격이 되었거나 힘들었던 상처를 포함해서 씁니다. 이때 사건의 내용과 함께 왜 그 일이 나에게 힘든 일인지 찾아야 합니다.

상처를 받는다는 것은 아주 주관적입니다. 사건의 크고 작음을 떠나 '내가 어떻게 받아들였느냐?'가 상처의 기준이 됩니다.

꼭 엄청난 사고를 겪어야만 상처나 트라우마가 되는 것은 아닙니다. 어릴 적 소중히 아끼던 장난감을 잃어버린 것이 엄청난 상실감을 주었거나, 누군가로부터 차별대우를 받은 것도 상처나 트라우마가 될 수 있습니다. 즉 남들의 생각과 상관없이 본인이 그 사건의 의미를 크게 두고 있는 상처를 찾아야 합니다.

이 상처는 '우울 스위치'인데, 원인을 알지 못하는 상처는 마치 시한폭탄처럼 갑작스럽게 터지기도 합니다. 누군가의 사소한 말 한마디, 행동 하나에 폭발하기도 합니다. 그래서 이 시한폭탄을 제거하려면 어떻게 형성되었는지 알아야 합니다.

대부분은 가족, 친척, 친구, 가까운 지인과의 관계에서 생긴 충격이거나, 예상하지 못했던 사건으로 겪게 된 충격인 경우가 많습니다. 내게 오랫동안 기억에 남아 나를 괴롭혔던 그 사건의 내용, 그 사건을 겪고 있는 나의 감정 등을 종합적으로 쓰면 됩니다. 괴로운 감정이 왜 무시되지 않는지 이유를 써야 합니다.

반드시 솔직하게 숨김없이 써야 합니다. 누구한테 보여주거나 제출하는 것처럼 포장해서 쓰지 말고, 있는 그대로 솔직하게 쓰면 됩니다. 심지어 욕을 써도 괜찮습니다. 상처를 직면할 수 있어야 본격적인 치유를 시작할 수 있습니다.

3. 반복적인 직면을 통해 객관화하기

앞의 1, 2번을 솔직하게 썼다면 아마 마음이 울컥했거나, 눈물을 흘렸을 수 있습니다. 그런데 내 상처에 대한 아픈 감정이 계속 그대로 남아 있으면 상처를 객관적으로 볼 수가 없습니다. 예를 들어 암에 걸렸는데 현실을 부정하거나 계속 눈물을 흘린다고 암이 없어지진 않습니다. 일단 감정을 가라앉히고 왜 암에 걸렸는지, 치료는 어떻게 해야 하는지 등을 객관적으로 생각해야 합니다. 그래서 나의 상처에서도 감정을 걷어내는 작업, 즉 내 상처에 대한 감정이 사그라들 때까지 <나의 다메섹>을 다시 읽으며 반복 노출시켜야 합니다. 계속 반복하여 읽다 보면 내성이 생겨서 어느 순간 눈물이 줄어들게 됩니다. 저는 6~7번을 읽고 난 후 눈물이 나오지 않았습니다. 횟수는 중요하지 않습니다. '더 이상 내 이야기에 내가 슬프지 않을 때까지' 읽는 것이 중요합니다.

혹시 글을 쓰면서 아무 감정의 변화가 없었다면, 다시 써야 합니다. 아직 자기 자신에게조차 솔직하게 드러내지 못하고 감추고 있다는 뜻입니다. 상처를 직면했는데 아무렇지 않다면, 그 사건은 진짜 상처가 아닙니다. 자기 자신에게 솔직해지지 못하면 그 상처를 치유할 수 없습니다. 그러니 용기를 내서 다시 한 번 '정말 솔직하게' 써야 합니다.

4. 나의 오늘: 과거를 재해석하여 새로운 사고방식 구축하기

이제 객관적인 시각으로 <나의 다메섹>을 꼼꼼히 읽으며 다음의 세 가지 단계를 통해 '나의 복음, 나의 그리스도'를 확인하고 생각의 틀을 바꾸는 작업을 거쳐야 합니다.

첫 번째로, '내 힘으로는 이 문제를 해결하는 것이 절대 불가능하다.'라는 사실을 인정해야 합니다. 내 힘으로 해결할 수 있었다면 상처가 되지도 않습니다. 상처가 되었다는 것 자체가 이 문제를 절대 해결할 수 없다는 뜻입니다. 게다가 대물림되는 영적 문제를 끝내는 방법도 알 수 없는데 나와 내 가정, 가문을 사로잡고 있는 영적 존재는 인간의 능력을 초월합니다. 따라서 이 존재를 꺾을 수 있는 분은 오직 그리스도라는 사실을 인정해야 합니다. 그리스도를 인격적으로 만남으로써 '그리스도만이 내 숨은 문제의 답이 된다.'라는 사실이 믿어질 때[13], 비로소 '다

---

13) 인격적으로 만난다는 것을 쉽게 말하자면 '나와 직접적인 상관이 있다.'는 말입니다. 만약 누군가를 소개받을 때 '이분이 죽어가던 사람을 구했다.'라는 얘기를 들으면 아무 감흥이 없겠지만, 죽다 살아난 여러분에게 '이분이 죽어가던 당신을 구했다.'라고 한다면 둘 사이에 인격적인 만남이 이루어진 것입니다.

이루었다(요한복음 19장 30절)'라는 말씀이 이해되고 예수님의 죽음이 나와 상관있게 됩니다.

두 번째는 '생각의 오류'를 찾아야 합니다. 사람의 생각, 기억은 아주 주관적입니다. 그래서 기억은 왜곡되기 쉽고, 전후 상황을 자세히 모른 채 잘못 이해되었을 수도 있으며, 오해나 착각으로 인해 사실과 다른 채 인지했을 가능성도 있습니다.

어떤 사건에 대해 우리는 전지적 관찰자 시점으로 알 수가 없습니다. 예를 들어 친구들끼리 싸우면 이쪽 얘기, 저쪽 얘기를 모두 들어봐야 어디서 문제가 생기고 오해가 발생했는지 알게 됩니다. 하물며 내가 겪은 그 상처도 1인칭 시점(내 관점)에서만 볼 것이 아니라 다른 관점에서도 봐야 합니다.

대부분의 사건은 객관적으로 볼 때 그다지 큰일이 아닌 경우가 많습니다. '내 문제'니까 아프고 괴롭고 힘든 것이지, 객관적으로 보면 세상 사람들이 겪는 문제 중 하나입니다. 따라서 '객관적으로 보니 이렇게 사소한 것에 내가 시달렸구나', 또는 '내가 너무 확대해석해서 바라보고 있었구나' 하는 생각의 오류를 찾아야 합니다.

세 번째는, 패턴을 찾아 수정하는 것입니다. '조상→조부모님

→부모님→나'에게까지 내려온 반복되는 패턴이 있습니다. 감정 패턴, 행동 패턴, 생각 패턴일 수도 있습니다. 이것은 가문, 가정을 통해 전달된 뿌리 깊은 각인이기 때문에, 누군가는 바꿔야 합니다. 잘못 각인된 '자동화된 생각과 행동'을 우리 가정과 가문에서 끊어내는 도전을 바로 나부터 시작해야 합니다.

이 잘못된 패턴을 바꾸는 단계는 시간이 다소 걸리는 과제입니다. 하루아침에 생긴 패턴이 아니라 오랜 기간, 오랜 세대를 거쳐 덧새겨진 '깊은 각인'이기 때문에, 바꾸는 데도 시간이 필요합니다. 따라서 조급해하지 말고 우선 나의 잘못된 패턴이 무엇인지 정확하게 인식하고 하나씩 수정해야 합니다.

5. 나의 미래: 나만의 미션 작성하기

4번까지 했다면 이제 여러분이 해야 할 것이 보입니다. 앞으로 남은 생애 동안 내가 해야 할 것, 나만 할 수 있는 것을 간단히 쓰는 것입니다. 이때 중요한 점은 내 문제는 나만의 문제가 아니라는 사실을 발견하는 것입니다.

내가 겪었던 그 문제는 누구나 겪는 문제입니다. 이 말은 곧 '그 일을 먼저 경험한 내가 다른 누군가를 도울 수 있다.'라는 말입니다. 어렸을 때 큰 병을 앓았던 아이가 의사를 꿈꾸고, 경찰에게 큰 도움을 받았던 아이가 경찰관을 꿈꾸고, 큰 화재를 경험했던 아이가 소방관을 꿈꿉니다. 마찬가지로 여러분도 그 경험을 바탕으로 '나 같은 자'를 살릴 수 있습니다.

여러분이 그 일을 먼저 경험하게 된 숨겨진 이유는 '또 다른 사람을 살리기 위해 하나님이 허락하신 경험'입니다. 즉 하나님의 절대 계획 속에서 하나님이 허락하신 훈련입니다.

내 과거의 상태를 알면 내가 살려야 할 사람_{전도 대상자}이 누구인지 보입니다. 그 사람을 살리는 것을 여러분의 미래, 사명, 인생 목표로 붙잡고 오늘부터 새로운 도전을 하시기 바랍니다. 내가 좋아하는 일, 잘하는 일, 또는 지금 하는 일로 그 사람을 도울 방법, 도구를 찾으면 됩니다. 그것이 바로 하나님께서 나에게 주신 재능, 즉 달란트입니다.

'과거'를 재해석하여 '미래'를 재창조하시길 바랍니다. 그리고 그 사이, '오늘'이라는 시간 속에서 꼭 필요한 도구들을 준비하고 있으면 정확한 타이밍에 정확한 만남이 이루어집니다. 이 준비를 하고 있는 사람이 바로 영적 서밋, 렘넌트 서밋입니다.

하나님은 여러분을 서밋으로 부르셨고, '여러분만 할 수 있는 것'을 이미 주셨습니다. 감당할 수 있는 시험과, 피할 길과, 정복할 길도 주셨습니다. 이제 <나의 다메섹>을 통해 나의 과거-현재-미래를 한눈에 보면서 도구를 준비하면 됩니다.

여러분을 향한 하나님의 계획을 발견했다면, 이제 그 꿈이 이루어지는 전무후무한 미래는 하나님의 정확한 시간표를 따라 이루어질 것입니다. 이 분명한 사실을 믿고, 여러분만의 서밋의 여정을 지금 시작하시길 바랍니다.

부록 1

전도 자료용 <나의 다메섹>

※ 1차로 쓴 A4 4장짜리 <나의 다메섹>을 수정,
보완하여 전도 자료로 만든 버전입니다.

치유의 시작, 〈나의 다메섹〉

중학생 때의 일입니다. 당시 우리 집 근처에서 지하철 공사가 한창이라 공사 구역의 대부분이 철제 바닥으로 되어 있었고, 그 위에는 공사할 때 쓰이는 모래들이 뿌려져 있었습니다.

어느 날 등굣길에 철제 바닥의 경사진 면을 내려가다가 모래를 잘못 밟아 미끄러져서 무릎을 바닥에 찧었습니다. 얼른 일어나 보니 무릎은 모래와 찢어진 살점이 엉켜 피범벅이 되어 있었습니다. 근처에 씻을 곳도 없어서 대충 휴지로 닦고 학교에 갔는데, 계속 피가 나서 물로 씻고 밴드를 붙였습니다.

며칠 뒤 상처가 어느 정도 아물었는데, 같은 곳에서 또 넘어지고 말았습니다. 처음 넘어질 때와 달리 이번에는 눈물이 날 정도로 아팠습니다. 하지만 이번에도 대충 밴드를 붙였습니다.

같은 부위를 두 번이나 다치면서도 제대로 처치하지 않아서인지, 며칠 뒤에 그 부위가 곪으면서 진물이 났습니다. 저는 그제야 다친 부위를 소독하고 약을 발랐습니다. 얼마간의 시간이 지나 상처는 아물었지만 결국 흉터가 남았고, 경사진 곳이나 계단을 내려갈 때 약간 더듬더듬 걷는 버릇이 생겼습니다.

몸은 한 번 다치고 나면 그 고통을 기억합니다. 그래서 운동선수가 부상을 당하면 몸이 기억하기 때문에 실력을 제대로 발휘하지 못하기도 합니다. 마찬가지로 우리의 마음과 정신, 영혼도 한 번 다치고 나면 괜찮은 것 같아도 실제로는 그렇지 않은 경우가 많습니다. 그래서 제대로 된 치유가 필요합니다.

'다메섹'은 사도행전 9장에서 바울이 그리스도를 만난 지역의 이름입니다. 하나님을 섬기지만 그리스도를 핍박하던 바울이 그리스도를 실제로 만난 이후 인생이 바뀌게 되는 전환점(터닝포인트)의 순간을 뜻합니다. 그날 이후 전도자가 된 바울은 빌립보서 3장을 통해 자신의 신앙을 고백합니다. 이 고백이 바로 <나의 다메섹>입니다.

저는 목회자 자녀이며 어렸을 때부터 신앙생활을 했습니다. 부모님 손에 이끌려 하게 된 신앙생활이었기에, 신앙은 없고 무닉만 크리스천인 상태였습니다. 그래서 어느 순간 나도 모르게 여러 가지 영적 문제로 시달리게 되었습니다. 그러다 결국 가장 밑바닥에 이르렀을 때 <나의 다메섹>을 통해 내게 왜 그리스도가 필요한지 알게 되었고 하나님께서 주신 나를 향한 미션을 발견하게 되었습니다.

저는 한때 '불신자로 살다가 복음을 알았다면 더 좋았을 텐데'라고 생각한 적이 있습니다. 완전히 타락한 상태에서 복음을 받아야 신앙생활을 뜨겁게 할 수 있었을 것으로 생각했기 때문입니다. 아마 저처럼 어렸을 때부터 교회에 다녔거나 모태 신앙이라 '그리스도를 만난 순간'이 없는 분들이 있을 것입니다. 그러나 여러분도 저처럼 <나의 다메섹>을 써 본다면 '그리스도를 만나는 터닝포인트'를 발견하면서 진짜 치유가 시작될 것입니다.

주변의 시선 때문에 '신앙생활을 하는 척, 경건한 척'하는 그런 신앙생활은 이제 그만할 때가 되었습니다. 혹시 아직 신앙 때문에 내적 고민을 하고 있다면, 당장 <나의 다메섹>을 써 보시길 권합니다. 그리고 혹시 '남에게 말할 수 없는 문제'를 갖고 있다면 <나의 다메섹>을 써 보면서 그리스도를 만나고 그 문제에서 치유되시길 바랍니다.

그리스도를 알기 전, 불신자 가문으로 내려온 영적 저주 상태

제 친할아버지는 찢어지게 가난한 집안에서 자수성가한 분입니다. 10대 때 돈을 벌기 위해 서울행 기차에 숨어 탔을 정도로 악착같이 돈을 벌어, 동네에서 이름만 대면 알만큼 꽤 부자가 되었습니다. 그런데 결혼 후 외도를 해서 결국 이혼했는데, 당시 할머니는 임신한 지 몰랐다가 이혼 후에야 임신 사실을 알게 되었습니다. 친정에서 홀로 아버지를 낳으신 후, 아버지를 친정에 맡기고 돈을 벌기 위해 집을 떠났습니다. 아버지는 이모할머니 손에서 자랐지만, 부모의 사랑을 모른 채 성장했습니다.

아버지가 어느 정도 성장한 후 할머니가 있는 곳으로 가서 학창시절을 보내고 사회생활을 시작했습니다. 그러나 이후 (정확한 시점이나 이유는 모르겠지만) 친할아버지에게 연락하여 전주에 있는 본가에 가게 되었는데, 그때부터 할머니와 연을 끊고 살았습니다. 그래서 저는 친할머니의 존재를 초등학생 때쯤 알게 되었습니다.

할아버지 집에 들어간 아버지는 방탕한 삶을 살기 시작했습니다. 아버지에겐 여섯 명의 이복동생이 있는데, 그 중 첫째_{고모}는 아버지와 동갑이었습니다. 양어머니_{할머니}와 이복동생들의 견제를 받으면서도 계속 문제를 일으켜서 할아버지가 아버지를 집에서 내보내기 위해 빨리 결혼시키려고 했습니다.

제 어머니는 아버지와 동향입니다. 어머니 역시 그 지역에서 소문난 부잣집의 양녀로 성장했습니다. 장남인 외할아버지에게 자녀가 없자 둘째, 셋째 동생들이 각각 자신의 아들_{외삼촌}과 딸_{어머니}을 주었는데, 당시에는 그런 일이 흔했다고 합니다. 어머니의 친부모였던 셋째 할아버지, 할머니는 어머니에게 잘해 주셨는데, 어머니는 그분들이 자신의 친부모라는 사실을 고등학생 때쯤 알았습니다. 그러나 그 사실을 몰랐던 국민학생 때, 셋째 할머니는 지병으로 돌아가셨습니다. 돌아가시기 전에 셋째 할머니는 어머니를 보고 싶어 했습니다. 그래서 돌아가시기 직전 찾아뵈었는데, 어머니는 자신을 쳐다보던 셋째 할머니의 눈이 무척 슬퍼 보였다고 합니다. 하지만 그때는 아직 친어머니인지 모를 때여서 그 순간이 친어머니와의 마지막인지도 몰랐습니다.

양어머니인 외할머니는 어머니를 많이 구박했습니다. 그 시절에는 남아선호사상이 심했기 때문에 양아들_{외삼촌}만 애지중지했고, 어머니는 홀대를 받아 어린 나이 때부터 식모처럼 집안일을 했습니다. 그런 모습을 보다 못한 셋째 할아버지, 할머니는 어머니를 데리고 가겠다고 난리를 친 일도 있었는데, 그때는 그냥 자기를 좋아해서 그러는 줄 알았다고 합니다.

외할아버지는 돈을 엄청나게 많이 벌면서도 양딸인 어머니에게 인색하게 굴었습니다. 이불 밑에 돈을 깔고 잠을 잘 정도로 많은데도 학교 수업료를 주지 않아 맨날 전전긍긍했다고 합니다. 그래서 어머니는 하루라도 빨리 돈을 벌고 싶어서 대학을 갈 수 있는 성적에도 불구하고 일부러 상고로 진학했습니다. 졸업 후 곧바로 서울에 있는 직장에 취직될 기회가 있었는데, 외할아버지의 반대로 별수 없이 자그마한 동네 의상실에서 보조로 일을 시작했습니다. 의상실 일은 박봉인데 너무 힘들었다고 합니다. 그러던 중 아버지와 선을 봤는데, 처음에는 아버지의 인상이 너무 날카롭고 무섭게 생겨서 다시 만나고 싶지 않았다고 합니다. 그런데 하필이면 그즈음 직장에서 도난 사건이 발생하여 어머니가 누명을 쓰게 되어 알고 보니 사장 조카가 한 것으로 밝혀짐 일을 그만두게 되었고, 지긋지긋한 집에서도 벗어나기 위해 아버지와 결혼하게 되었습니다.

둘의 결혼은 그 지역에서 내로라하는 집안끼리의 결혼이어서, 어머니의 친구들은 어머니가 받은 혼수를 부러워했습니다. 그러나 부모의 사랑 없이 자란 두 분은 신혼부터 만만치 않았습니다. 할아버지가 마련해 준 첫 신혼집을 아버지가 도박으로 날린 후, 할아버지가 운영하시던 여관의 낡은 쪽방에 얹혀살게 되었습니다. 그러나 정작 아버지는 집에 거의 들어오지 않았고, 어머니 홀로 시어머니_{양할머니}의 구박과 눈치를 받으며 바퀴벌레가 나오는 쪽방에서 어린 오빠와 나를 힘들게 키웠습니다. 그러다 제가 3~4살 때쯤 할아버지는 우리 가족을 서울로 내쫓았습니다. 당시 둘째 작은아버지가 운영하던 동대문 옷가게를 아버지가 대신 맡았는데, 우리 가족의 영적 문제는 서울까지 쫓아왔습니다.

아버지는 겉으로 내색하진 않았지만, 자신의 삶에 회의가 들었습니다. 그러던 어느 날, 아버지의 술친구가 갑자기 변화된 것을 보았습니다. 그 모습에 아버지도 충격을 받아 그 친구를 따라 교회를 다니기 시작했습니다. 몇 년이 채 안 되어 아버지는 갑자기 신학을 시작했고, 제가 초등학교 4학년 때 아버지는 교회를 개척했습니다.

원래 가난했는데, 교회를 개척하자 본격적으로 가난해지기 시작했습니다. 그리고 알 수 없는 부모님의 불화 때문에 가정도, 교회도 지옥 같았습니다. 저는 두 분이 제발 이혼하기를 끊임없이 바랐고, 우리 가정에서 누군가 없어져야만 이 고통이 끝날 것 같았습니다. 어린 나이였지만 끊임없는 가난과 가정불화로 내 인생이 너무 비참했습니다.

그러던 어느 날부터 아버지는 느닷없이 십자가를 그리면서 창세기 3장 이야기를 했습니다. 나중에 안 것이지만 아버지도 신학을 배우고 목회를 하면서도 복음에 대해 해결되지 않는 궁금증이 있었다고 합니다. 그래서 이런저런 것을 다 해 보던 중, 어느 날 친구 전도사의 소개로 한 집회에 갔습니다. 그날 그곳에서 아버지는 복음 메시지를 처음 듣고는, '아! 바로 이거다!' 하고는 설교 테이프를 잔뜩 사 와서 들었다고 합니다. 그때부터 아버지는 열심히 복음을 설명하셨지만, 당시에는 아버지가 무서워서 마지못해 들었을 뿐 아무 감흥이 없었습니다.

몇 년 후, 아버지는 기존 교단에서 자녀 장학금을 주겠다는 것도 뿌리치고 복음을 선택했습니다. 그러나 그 이후에 너무 힘들었습니다. 이미 가난했는데 더욱더 가난해졌고, 돈이 없어 여러 번 이사하며 교회를 줄여가다가 마지막에는 성전 없이 예배를 드렸습니다. 그 와중에 집에 빨간딱지가 붙기도 했습니다. 한참을 힘들게 살다가 할아버지가 경기도에 사놓은 작은 땅을 주셔서 경기도로 이사했습니다. 새로운 곳에 가면 좀 나아질까 싶었지만, 가난과 가정불화가 경기도까지 또 쫓아왔습니다.

그리스도를 알았지만, 여전히 불신자처럼 살아가는 신자의 상태

제가 '복음'이라는 것을 인지한 것은 대학 3학년 때입니다. 믿음 없는 교회 생활을 마지못해 지속하며 복음에 대해 크게 깨닫는 것도, 와 닿는 것도 없다가 아무 계기도 없이 갑자기 '예수가 그리스도'라는 말이 이해되었습니다. 그러나 단지 문자적인 이해였을 뿐, 아무 감동이 없는 똑같은 삶이 계속되었습니다.

그러던 중 대학 4학년 때 졸업을 앞두고 임용고시 1차 합격이 되어 여기저기서 축하를 받았지만, 결국 2차에서 떨어졌습니다. 시험에 떨어지자 무능력한 실패자가 된 것 같았습니다. 1년 전 임용 공부를 시작할 때 할아버지께 공부할 돈 600만 원을 빌려 달라고 전화를 했습니다. 내색하진 않았지만 속으로 참 비참했습니다. 그렇게 해서 받은 돈으로 하루 12~14시간씩 1년을 공부했지만, 결국 불합격했습니다. 돈은 돈대로 날리고 제게 남은 건 실기 준비를 하다가 생긴 부상뿐이었습니다. 주변 사람들은 다시 해 보라고 권유했으나, 저는 할아버지에게 돈을 구걸했던 기억이 상처가 되어 재시험을 포기했습니다. 대학원을 갈까 생각하고 대학 조교 생활을 해봤는데 대학원에 가려면 더 큰 돈이 필요하다는 사실을 알고 포기했습니다. 당장 쓸 생활비도 없었기 때문에 돈을 벌기 위해 취업을 준비했습니다.

당시에는 돈에 대한 상처가 너무 크고 깊어서 마음이 조급했습니다. 직장에 대한 어떤 기준이나 방향도 없이 이력서를 여기저기 뿌리다가 얼떨결에 한 동네 어학원에서 온 연락을 받고 덜컥 입사하게 되었습니다. 지금 생각하면 참 이상하지만, CJ에 넣었던 서류가 통과되었는데 어학원의 첫 근무 날짜와 CJ 면접 일자가 겹쳐서 고민도 하지 않고 어학원에 출근했습니다. 대학을 졸업하고도 세상을 너무 몰랐고 조언해 줄 멘토도 없어서 근시안적인 결정을 하기에 급급했습니다.

그런데 어학원에 근무하며 어쩌다 복음을 전하기도 했습니다. 전도에 열정은 없었지만 어쨌든 원장님과 말씀 공부를 했고, 학생들에게 복음을 전했습니다. 그러나 어학원에 계속 있는 것이 비전이 없다는 생각이 들어 3년 7개월 만에 퇴사했습니다. 이후 청소년 교육 프로그램을 운영하는 회사에 들어갔는데, 얼마 되지 않아 갑자기 대표가 모회사로부터 배임, 횡령 소송이 걸려 회사는 해체되고 저는 다른 회사로 고용 승계가 되었습니다.

고용 승계가 된 회사의 대표는 서울대 체교과 출신이었습니다. 그는 서울대 출신을 자랑스러워하면서도, 체육과인 게 콤플렉스였습니다. 그래서 연세대 교육학 석사 출신이었던 제 동료는 아주 높은 평가를 받았지만, 체교과 학사 출신이었던 저는 차별대우를 받기 시작했습니다. 제 동료조차 대표가 너무한다고 말할 만큼 대표는 일거수일투족을 사사건건 트집을 잡았습니다.

나중에 알고 보니 제 능력이 문제가 아니라 다른 회사와 합병을 하면서 몸집을 줄이기 위해 저를 그만두게 하려고 괴롭혔던 것이었습니다. 아무튼 그렇게 직장 내 차별로 우울증과 공황장애를 겪다가 결국 퇴사하게 되었습니다.

학벌 때문에 차별당한 경험은 저로 하여금 학벌을 추구하게 만들었습니다. 과거에 포기했던 대학원의 꿈이 서서히 올라왔습니다. 그러던 중 목회자 자녀 수련회에서 만난 대학원생의 도움을 받아서 서울대, 연대, 이화여대에 원서를 넣었고, 그중 두 곳에 합격하여 서울대 대학원에 입학하였습니다.

그러나 대학원도 생지옥이었습니다. 직장은 돈이라도 버는데, 여기는 돈까지 갖다 바치며 노예 생활을 하는 곳이었습니다. 교수 간 세력 싸움과 정치가 만연했고, 제자들을 호구 아니면 물주로 보았습니다. 부유하거나 서울대 학부 출신인 학생들은 그나마 나았지만 둘 다 아닌 사람들은 아무 짝에도 쓸모없는 취급을 받았는데, 제가 바로 그 후자에 속했습니다.

입학을 앞두고 처음으로 연구실 MT를 갔는데 한 박사과정 선배가 논문 계획을 발표했습니다. 발표 후 교수님이 갑자기 제게 질문을 시켰습니다. '변인 간의 순서를 바꾸는 것이 더 나은 것 같은데 왜 이렇게 했는지 제가 잘 몰라서 궁금하다.'라고 질문했습니다. 그런데 제 생각이 맞았는지 교수님이 칭찬하셨고, 그 바람에 입학도 하기 전에 선배의 눈 밖에 나고 말았습니다. 엎친 데 덮친 격으로 타 대학에 입학원서를 넣고 그 대학의 교수님을 한 번 찾아뵈었던 일이 이상하게 소문이 나서, 저를 미워하던 그 박사과정 선배는 그것을 트집 잡으며 저를 심리적으로 계속 괴롭혔습니다. 겨우 한 살 많은 선배의 괴롭힘으로 1년간 시달릴 때쯤, 아버지는 갑자기 지방에 내려가 목회를 한다고 하셨습니다. 그러면서 너무 힘들면 휴학을 하라고 권하셔서 저도 휴학계를 내고 부모님과 함께 지방으로 내려갔습니다. 그즈음에 어떤 사모님의 추천으로 심리 상담사에게 상담을 받았는데, 그 상담사는 제게 우울증 초기라고 진단을 내렸습니다. 그 사람이 처음 진단을 딱 내릴 때 저는 너무 기분이 나빴지만, '내가 진짜 우울증이었나'하는 생각에 충격을 받았습니다. 그런데 한편으로는 그것을 아무렇지 않게 지적하는 상담사의 태도에 오히려 화도 났습니다. 그렇게 상담사에 대한 안 좋은 기억만 남긴 채 상담은 제게 별 도움 없이 지나버렸습니다.

아버지는 신학원 동기의 권유로 갑작스럽게 지방으로 내려가겠다고 결정하셨습니다. 당시 성전이 없어서 자택에서 예배를 드리던 때였는데, 지방에 내려오면 성전을 제공할 사람도 있고 예배를 드리러 올 사람도 있다고 했습니다. 몇 개월간 매주 주일에 현지답사를 가서 예배를 드린 끝에 아버지는 확신을 갖고 이사를 하였습니다. 곧 있으면 성전이 생길 것 같았던 꿈은 얼마 안 가 물거품이 되었습니다. 저는 그 지역에서 약 6개월 정도 지내며 일자리를 구하려 했지만, 마땅히 할만한 일을 찾을 수 없었습니다. 그러던 중 예전 직장 동료의 연락을 받아 서울로 다시 올라와서 32세에 처음으로 자취를 하게 되었습니다.

서울로 왔지만, 돈이 하나도 없었습니다. 교회 형편이 좋지 않아서 그동안 제가 번 돈으로 교회와 가정 생활비로 다 썼고, 대학원 대출금까지 있는 상태여서 집을 얻기가 쉽지 않았습니다.

어쩔 수 없이 회사 근처에 있는 낡은 한옥의 단칸방을 얻었습니다. 처음에는 월세가 너무 비싸서 이 한옥이라도 괜찮다고 생각했습니다. 그러나 방음, 방열은커녕 창문도 꽉 닫히지 않았고, 얼마 후 밤마다 쥐가 천장과 벽을 긁어댔습니다. 너무 무서워 잠을 잘 수가 없었지만, 돈이 없어서 1년을 버텼습니다.

1년 후 대출이 가능해져서 새로 이사할 집을 알아보았습니다. 아버지의 이종사촌 되는 삼촌 한 분이 제 회사에서 30분 거리에 계셨는데, 삼촌이 자기 집으로 오라고 했습니다. 그런데 이사를 일주일 앞두고 그 삼촌이 알코올 중독 때문에 정신병원에 강제입원이 되었습니다. 결국 삼촌 없는 집에서 숙모와 아들인 초등학생 사촌 동생과 함께 살았습니다. 6개월 후 삼촌이 강제 퇴소를 하여 집에 돌아와 일주일간 같이 살았는데, 삼촌은 24시 간 술을 마시며 난동을 부렸습니다. 그러고는 밤새 부부싸움을 하는데 저는 그 둘을 말리며 밤을 새우다가 출근하곤 했습니다. '이러다 내가 미칠 것 같다' 할 때쯤, 삼촌은 다시 정신병원에 들어갔고 저는 원룸을 얻어 그 집을 나왔습니다. 처음으로 숨통 이 트이는 것 같았습니다.

서울에서 자취하던 당시, 매주 본가로 가야 했습니다. 성도가 없고 반주자도 없으니까 갔지만, 처음에는 너무 짜증이 났습니 다. 그러나 내려가지 않으면 괜히 부모님과 부딪힐 것 같아서 매주 내려갔습니다. 그런데 은혜는커녕 왕복으로 8시간 이상씩 걸리니까 정신도 몸도 너무 피곤해졌고, 교통비로 나가는 돈도 만만치 않았습니다. 그 당시 월급을 전부 부모님께 드리고 매달 최소한의 용돈(약 30~50만 원)으로 생활했는데, 그런 상황들이 점점 스트레스가 되었습니다. 그래서 슬슬 일이 바쁘다는 핑계 로 한두 번씩 내려가지 않다가 어느새 쭉 가지 않았습니다.

처음 몇 번은 인터넷으로 예배를 드렸지만, 나중에는 그마저 도 하지 않았습니다. 그러면서 점점 이런 비참한 삶이 끝나지 않을 것 같다는 생각이 들면서 우울해졌습니다. 지금 돌이켜 보면 이 우울증이 대물림된 것 같습니다. 왜냐하면 부모님의 무기력, 무능력, 가난뿐 아니라 이런 삶이 빨리 끝나면 좋겠다는 생각을 저도 똑같이 하고 있었기 때문입니다.

우울함이 계속되던 어느 날, 제 상태를 눈치챈 친오빠가 정명서 목사님을 만나보라고 연락을 줬습니다. 정 목사님은 오빠가 다니던 대학의 사역자이셨는데, 오빠 소개로 몇 번 뵈었던 분이었습니다. 오빠를 통해 나에 대한 정보를 좀 아시지 않을까 싶어서 나를 포장하지 않아도 될 것 같아 부담감이 좀 덜했습니다. 얼마 후 목사님과 만나 상담을 했고, 마음속에 답답했던 것들이 아주 조금 해소되는 느낌을 받았습니다. 그때를 계기로 해서 신앙을 회복하기 위해 마하나임교회로 출석하게 되었습니다.

신분을 회복한 나, 이제 삶의 이유를 찾다

목사님과 첫 상담을 할 때, 목사님은 제게 세 가지 미션을 주셨습니다. 하나는 일기 쓰기였습니다. 누구에게 하지 못할 말들을 일기에 쓰면서 감정을 풀라고 하셨습니다. 일기를 안 쓰던 사람이 쓰려니까 처음에는 초등학생 수준의 생활기록장처럼 쓰다가, 그러다가 감정이 격해지면 욕도 쓰기도 하다 보니 조금씩 풀리는 것 같았습니다.

두 번째는 독서였습니다. 그때 목사님이 추천해 주신 첫 책이 『치유의 글쓰기』[14]였습니다. 당시 저는 출판사에 근무하면서도 책을 거의 안 읽던 사람이라, 책 한 권을 읽는 데 한 달씩 걸렸습니다. 그래도 그 책을 시작으로 독서 습관이 생겼습니다.

세 번째는 <나의 다메섹>이었습니다. 앞의 두 가지는 하긴 했는데, 세 번째 미션은 어려웠습니다. 우선 무엇을 어떻게 써야 하는지를 몰랐고, 쓰면 뭐가 달라지나 하는 생각이었습니다. 그래서 이 미션은 일기장에다 두어 번 시도했다가 실패했습니다.

그렇게 1년이 지났습니다. 그러던 어느 날, 아는 지인의 소개로 소개팅을 했습니다. 상대와 2~3차례 만나면서 관계가 발전할 뻔했는데, 제 과거의 상처와 영적 상태가 발목을 잡았습니다. 그때 목사님께서 <나의 다메섹>을 쓰면서 상대와 대화를 하라고 조언해 주셔서 그분에게 <나의 다메섹>을 같이 써 보자고 제안했지만, 이미 그분도 상처를 받아서 관계는 끝이 났습니다. 그날 밤, 저는 희한하게 울적하기보다는 이런 나의 영적 상태를 오늘 아니면 끝낼 수 없다는 생각이 들어 '오늘 <나의 다메섹>을 쓰자.' 결심하고 새벽 3시까지 작성했습니다.

---

14) 셰퍼드 코미나스(2008). 『치유의 글쓰기』. 홍익출판사.

나의 생애를 글로 써 보니, 참으로 비참해서 눈물이 계속 났습니다. 작성을 다 한 후 다시 읽었는데 또 눈물이 났습니다. 그렇게 읽기를 다섯 차례 이상 반복하자 점점 눈물이 줄어들었습니다. 일곱 번째 읽자 눈물이 아예 나지 않고, 이제 더 이상 내 문제가 아닌 것처럼 느껴졌습니다. '아! 내가 내 상처를 객관화해서 보지 못하니까 계속 불신자처럼 살았구나!' 그날에서야 비로소 깨달았습니다.

<나의 다메섹>을 쓰고 나니까, 내가 해야 할 미션이 보이기 시작했습니다. 그즈음 강단 메시지에서 로마서 16장 25~27절 말씀이 나왔는데, '선지자들의 글'이라는 부분이 와 닿으면서 나를 향한 하나님의 미션이 발견되었습니다.

"나는 지금까지 부모님 탓을 해왔는데, <나의 다메섹>을 써 보니 두 분의 잘못이 아니었구나. 두 분이 일부러 그랬던 것이 아니라, 잘해보려고 했는데 모르니까 뜻대로 되지 않았던 것이구나. 그런데 부모님처럼 살지 않겠다면서 나도 똑같이 살아가는구나. 이것은 부모님의 힘으로도, 내 힘으로도 끝낼 수 없는 우리 가정과 가문의 대물림된 영적 문제이다! 눈에 보이지 않는 사단이 우리 가정을 붙들고 있었다. 그런데 이 사단을 꺾으시고 나의 절대 불가능한 문제를 끝내기 위해 그리스도가 오셨던 것

이구나! 그리고 이미 끝내셨구나!

그렇다면 이제 내가 해야 할 일은 교육이다! 사단의 자녀에서 하나님의 자녀로 바뀌었는데, 신분이 바뀐 줄도 모르고 실패할 수밖에 없는 상태 그대로 계속 살아왔다. 언약 안에서 가정교육, 부모교육, 자녀교육, 진로교육, 경제교육, 리더십 교육, 전도훈련 등 필요한 것을 교육해야 한다. 언약 안에서 우리 후대들을 지도자로 키워야 한다. 공교육도, 명문대도 이 문제를 해결하지 못했다. 어릴 때부터 복음 안에서 세상을 살릴 지도자로 키우는 구체적인 교육이 필요하다. 그것을 우리 집에서 아무도 하지 않았지만, 내가 해 봐야겠다. 로마서 16장 25~27절의 '선지자들의 글'처럼 누군가 글을 남기면 나 같은 사람이 볼 것이다. 과거의 나처럼 비참하게 살아가는 사람들의 사고방식, 세계관을 바꿔주는 일을 하고 싶다. 이것을 알게 하시려고 나에게 이런 과거를 주셨던 것이구나! 하나님의 계획이었구나!"

예전에는 돈을 버는 성공을 꼭 하고 싶었습니다. 돈을 벌면서도 돈에 시달리니까 그랬던 것 같은데, 이상한 건 그런 마음을 먹을수록 제 위치와 벌이는 더 시원찮아졌습니다. 그런데 복음을 알고 제 사명을 깨닫고 나니 비로소 '하나님이 원하시는 목표를 이루는 것이 진짜 성공'임을 알게 되었습니다. 그리고 제게 이런 과거들을 허락하신 것도 그 목표를 이루는 성공자가 되라는 메시지 같았습니다. 바로 '나 같은 자'를 살리라고 말이죠.

혹시, 마음에 구멍이 났다면

혹시 뭔가 늘 풀리지 않아서 스트레스를 받고 힘들다면, 그건 매운 음식이나 초콜릿이나 운동이나 친구와의 수다로 해결할 수 없습니다. 잠깐은 위안받을 수 있겠지만 근본적인 해결책이 아닙니다. 그럼 어떻게 해야 할까요?

첫 번째, 나의 현 상태를 진단해야 합니다. 우울증인데 우울증이 아니라고 한다면, 치료를 시작할 수조차 없습니다. 무엇인가 심각한 상태임을 스스로 인정하고 거기에서 벗어나야겠다는 간절한 마음을 가져야 합니다.

두 번째, 상처를 치유해야 합니다. <나의 다메섹>은 내 상처가 무엇인지 객관적으로 보기 위한 과정입니다. 내 문제의 실제 원인이 무엇인지 계속 되짚어 가 보고 객관적으로 확인해 보면, 원인이 나오고 해답도 보입니다. 그렇게 해서 잘못 각인된 것을 끊어내면 됩니다.

세 번째, 말씀을 들어야 합니다. 말씀이 들리지 않아도 교회에 나와서 들어야 합니다. 영혼이 듣기 때문입니다. 말씀은 영혼을 치유하는 약입니다. 혹시 정말 말씀이 안 들리면 손으로 써야 합니다. 손으로 쓸 때 뇌가 자극되고 집중하기 때문입니다. 계속 녹취하고, 계속 듣다 보면 눈에 보이진 않아도 조금씩 변화가 일어납니다.

우리는 보는 것을 믿는다고 하지만, 실제로는 믿는 것만 본다고 합니다. 그만큼 세계관의 영향 아래 살아간다는 뜻입니다. 그래서 이제 여러분도 세계관을 바꿔야 합니다. 믿으면 보이고, 믿는 만큼 실현됩니다.

하나님은 우리를 영적 서밋으로 부르셨습니다. 저는 예전에 이 사실을 의심했는데, 지금은 확신이 있습니다. 왜냐하면 하나님께서 정하신 제 미래가 렘넌트 서밋으로, 세상 살릴 정복자로서는 것이라 약속하셨기 때문입니다. 하나님께서 서밋으로 정하신 미래를 우리 스스로 아니라고 부정할 필요가 있겠습니까. 그런데 서밋으로 가는 길을 가로막는 것이 딱 하나 있습니다. 바로 우리의 생각, 즉 불신앙입니다. 안 된다고 생각하는 건 불신, 내가 할 수 있다고 생각하는 건 오만, 그리스도 안에서 모든 것을 할 수 있다고 믿는 건 신앙입니다.

끝으로, 세계관을 바꾸어 주고 삶의 방향을 안내해 줄 책 몇 권을 추천해 드립니다. 믿음만으로 무식하게 '믿습니다.' 하는 건 서밋이 아닙니다. 올바른 영안으로 분별하고 믿음으로 도전하여 하나님께서 정하신 계획을 찾아가는 '참된 성공'을 이루어 자녀와 후대에 영적 기업, 영적 유산, 영적 작품을 남겨야 합니다. 그런 사람이 바로 하나님께서 원하시는 영적 서밋입니다.

<추천도서>

평생 감사 (전광)

생명 없는 종교 생활에서 벗어나라 (류광수)

푸른 수의가 아름다운 에봇으로 (류광수)

인생 편집 (서정현)

데스티니: 하나님의 계획 (고성준)

기도 인생 (류태영)

유대인과 패밀리스쿨 (조병호)

원동력 (강영우)

청소부 밥 (토드 홉킨스, 레이 힐버트)

예전에 인기리에 방영된 한 드라마에서 미혼모가 주인공으로 나왔습니다. 평생을 주눅 들어 눈치만 보며 살던 여주인공에게 남주인공이 '당신은 예쁘다, 당신은 멋지다, 당신은 짱이다….'라고 계속 칭찬해 줍니다. 그래도 여주인공의 마음은 열리지 않았는데, 남주인공의 마지막 한마디에 마음 문이 활짝 열리게 됩니다. '이미 당신은 훌륭합니다.' 혹시 이 드라마를 본 분들은 결말을 아실 것입니다. 마지막에 이 여주인공은 살인마를 맨손으로 때려잡을 만큼 담대해집니다.

마찬가지로 지금까지 어떤 문제에 시달렸다 하더라도 언약을 붙잡고 여러분의 생각과 관점을 바꾸시기 바랍니다. '모든 것이 하나님의 계획 속에 필요한 것이었음'을 보며 과거의 상처를 발판 삼아 하나님의 절대 목표를 향해 전진하시기 바랍니다. 여러분이 언약을 붙잡고 결단하여 언약의 여정을 간다면, 그 어떤 것도 여러분을 막지 못할 것입니다.

"이미 당신은 렘넌트 서밋입니다."

언약 명문가로 바꾸는 도전

가장 작은 자를 통한 시작

2021년 8월, 친할머니가 향년 88세로 돌아가셨습니다. 4월에 뇌졸중으로 쓰러지셔서 병원과 요양원 생활을 하셨는데, 8월 초에 갑자기 다리가 괴사하기 시작했습니다. 생명이 위험해질 수 있다는 의사의 말에 결국 절단 수술까지 받았지만, 약 열흘 후 소천하셨습니다. 한편으로는 수술 덕분에 열흘이라도 더 사신 것 같기도 했습니다.

제 할머니는 고생을 많이 하셨다고 들었습니다. 그래서 그런지 키도 작고 몸집도 왜소하셨습니다. 젊은 나이에 아버지를 임신한 지도 모른 채 할아버지와 이혼하고 친정에서 혼자 아버지를 낳으셨습니다. 이후 아버지를 친정에 맡겨 놓고 돈을 벌기 위해 타지 생활을 하셨습니다. 정확한 이유는 모르지만, 아버지가 10대 후반에서 20대 초반쯤에 할아버지한테 갔고 그때부터 모자간의 연락이 한동안 끊겼던 것 같습니다.

오랜 시간이 흘러 아버지는 제가 초등학교 4학년 때 교회를 개척하셨습니다. 어느 날 아버지의 외종사촌이 어떤 할머니를 모시고 왔는데, 예배가 끝나고는 아무 대화도 없이 그냥 가셨습니다. 당시에는 누군지 몰랐지만, 나중에 그분이 친할머니임을 알게 되었습니다. 제게는 그날의 기억이 없지만, 그 이후부터 아버지가 명절 때 잠깐이라도 할머니 댁에 들러서 친할머니의 존재를 알게 되었습니다.

저는 '할머니의 사랑'이 무엇인지 잘 몰랐습니다. 할아버지와 양할머니가 계시긴 했지만, 할아버지는 무뚝뚝하셨고 아버지가 목회하는 것을 너무 싫어하셨습니다. 그리고 양할머니는 본인이 낳은 자녀들과 그 손자들을 더 이뻐하셨습니다. 어차피 1년에 2번만 보는 사이였기 때문에 저는 크게 개의치 않았습니다.

그런데 친할머니를 만나고 나서 처음으로 '할머니의 사랑'을 조금 느낄 수 있었습니다. 작고 허름한 시골집에 계시면서도 한 푼 두 푼 아껴서 용돈을 주시고, 배가 터지도록 음식을 내오셨습니다. 그리고 그냥 우리가 온 것만으로도 행복해하시면서 반겨 주셨습니다. 처음에는 할머니의 그런 반응이 어색했지만, 점차 익숙해졌습니다.

아버지는 할머니 댁에 방문할 때마다 할머니께 복음을 전했습니다. 할머니도 교회를 다니긴 하셨지만, 아버지가 전하는 복음을 열심히 들으셨습니다. 아버지는 귀가 어두운 할머니에게 '1분 구원의 길'을 목이 터져라 반복하여 전했고, 결국 할머니는 암기까지 하셨습니다. 참 신기한 건 할머니가 쓰러지신 후 의식이 잠깐 돌아오셔서 아버지가 면회를 하러 갔는데, 아들도 못 알아보면서 '태초에 하나님이 천지를 창조하셨어요….'라며 1분 구원의 길을 암송하셨답니다. 당시 같이 있던 이모할머니는 물론 간호사, 의사까지도 놀랐다는데, 지금 생각해도 참 신기하고 다행이라는 생각이 듭니다.

할머니께서 돌아가셨다는 연락을 받고 서둘러 장례식장에 갔더니, 장례를 하루만 치른다고 했습니다. 한창 코로나가 심할 때여서 사람들이 오기도 어렵고, 이모할머니께서도 자기 언니를 빠르게 보내드리자 하셔서 그렇게 결정되었습니다.

상황은 이해되었으나 마음 한편으로는 좀 아쉬웠습니다. 만하루에 끝내는 조촐한 장례여서 할머니와 아버지의 가까운 친지 몇 분만 오셨습니다. 그리고 바로 다음 날 입관과 발인을 진행

했습니다. 아버지와 같은 지역의 목사님들께서 오셔서 함께 예배를 드렸는데, 노회장이셨던 노일완 목사님의 설교 말씀을 듣고 모든 것이 하나님의 계획이었음을 알게 되었습니다.

"오늘 와서 보니 남들이 보기에는 초라해 보일 수도 있지만, 그것은 세상의 기준입니다. 제가 보기엔 우리 송금례 집사님이 정말 대단한 분이셨다고 생각합니다. 우리 목사님이 현장에서 얼마나 전도하시는지 제가 다 알고 있습니다. 이런 전도자를 낳은 분입니다. 하나님 보시기에 가장 큰 자입니다."

무엇을 물려줄 것인가

이혼 후 혼자가 된 할머니가 아버지를 낳지 않을 수도 있었지만 낳았기 때문에 아버지가 태어날 수 있었고, 또 아버지 덕분에 할머니가 구원받을 수 있었습니다. 그리고 그러한 두 분이 있었기에 우리 가문은 새롭게 시작될 수 있었습니다. 그렇게 이전 세대가 언약 명문가의 시작을 만들었다면, 언약 명문가로 완성해가는 것은 이제 우리 세대와 다음 세대의 몫이겠지요.

장례식을 끝내고 오빠네 가족과 함께 서울로 올라오면서 새언니와 대화를 나눴습니다. 유아교육을 전공한 새언니는 현장을 잘 알기 때문에 네 살 된 조카를 아직 어린이집에 보내지 않고 있었습니다. 저도 교과서를 만드는 일을 하다 보니 공교육 현장이 어떤지 알고 있었기 때문에 새언니의 마음이 이해되었습니다. 미션홈스쿨링[15]을 해야 하지만, 실제로 하기 어렵다는 얘기가 나와 저는 이렇게 말했습니다.

"당연히 쉽지 않죠. 그런데 무엇이 더 중요한지를 보면 될 것 같아요. 미션홈스쿨링을 할 것이냐, 학교를 보낼 것이냐의 선택은 '예방을 할 것인가, 치료를 할 것인가?' 하는 선택이죠.

학교를 보내는 것이 당연히 편하고 쉽지만, 그 뒤의 부작용을 감당할 각오를 해야 해요. 그러나 상황이 여의치 않아 학교를 보낸다 해도 괜찮아요. 중요한 것은 부모 두 사람이 어떤 마인드로 자녀를 키우냐는 것이죠. 고민하고 연구하는 부모와 그렇지 않은 부모는 천지 차이거든요.

우리가 약간 부족해도 결국은 하나님이 완성하실 거예요. 그러므로 우리는 기도 속에서 고민하고 연구하며 우리 위치에서 최선을 다하면 돼요."

『내 아이에게 무엇을 물려줄 것인가』[16]는 부녀 관계인 데이

---

15) 미션홈과 홈스쿨링의 합성어.
16) 데이브 램지, 레이첼 크루즈(2015). 『내 아이에게 무엇을 물려줄 것인가』. 흐름출판.

브 램지와 레이첼 크루즈가 함께 썼습니다. 데이브 램지는 둘째 딸 레이첼이 태어난 해에 갖고 있던 재산을 모두 날리고 파산을 신청했습니다. 데이브는 각고의 노력 끝에 겨우 빚더미에서 빠져나온 후 '다시는 램지 가문이 빚에 빠지지 않게 하겠다.'라고 다짐했습니다. '성경에 기초한 돈 관리 원칙을 삶에 적용하여 돈에 관한 집안 전통을 램지 가문에 남기겠다.'라고 생각하며 새로운 역사를 쓰기로 결심했습니다. 그의 책은 아버지 데이브와 딸 레이첼이 서로 자신의 관점에서 새로운 전통을 어떻게 함께 세웠는지 흥미롭게 알려주고 있습니다. 가정, 가문, 교회의 빚의 경제 회복에 관심 있으시면 한 번 읽어 보시길 추천합니다.

언약 명문가의 문화유산

차를 타고 올라오면서 저는 조카에게 책을 읽어주며 여러 가지를 테스트해보았습니다. 책 한 권으로 성경 얘기는 물론 숫자, 영어, 색깔, 동식물, 바다, 천문까지 설명할 수 있었습니다. 주일 날 목사님께 그 경험을 이야기하며 이렇게 말했습니다.

"부모가 '나는 연구원이다'라는 생각을 가지면 육아에 대한 사고가 바뀔 것 같아요."

데이브 램지는 '모든 것은 하나님의 소유이며 우리는 청지기이다.'라고 전합니다. 자녀 역시 하나님의 소유이며, 우리는 위임받은 자일 뿐입니다. 따라서 내 뜻대로가 아닌 하나님의 뜻에 따르는 연구원의 자세로 자녀 양육법, 후대 양육법을 연구하며 언약 중심의 문화유산을 전달할 시스템을 세워야 합니다.

자녀에게 물려주어야 할 첫 번째 문화유산은 그리스도와의 만남입니다. 그리스도를 만난 자는 그리스도를 본받아 세상을 살리는 자가 됩니다. 이때 부모의 영적 상태가 자녀에게 영향을 주긴 하지만, 본질적으로는 자녀 스스로가 '부모의 그리스도'가 아닌 '나의 그리스도'를 1:1로 만나는 체험이 필요합니다. 이삭이 죽음의 위기에서 '아브라함의 그리스도'가 아닌 '나의 그리스도'가 각인되었습니다. 마찬가지로 자녀가 갈등, 문제, 위기를 만났을 때 부모가 나서서 해결해 주려 하지 말고 그리스도를 만나는 기회로 바꿀 수 있도록 미리 생각하고 준비해야 합니다.

두 번째 문화유산은 부모를 통한 가정교육입니다. 부모는 가정의 서밋이기 때문에 자녀는 부모를 통해 서밋의 자세를 배우고, 또 부모를 닮은 성인이 됩니다. 그래서 왕이 자녀에게 후계자 교육을 하듯, 가정에서도 신앙인의 자세, 업과 전문성, 생각하는 사고방식, 경제 관념, 리더십, 전도훈련 등을 가르쳐야 합니다. 따라서 부모는 내가 하지 못한 것, 나에게 없는 것을 자녀에게 시키면서 괴롭히지 말고, 본인이 먼저 연구하고 배워서 자녀에게 모범을 보이며 쉽게 이해할 수 있도록 가르쳐 주어야 합니다. 그러기 위해 부모가 먼저 가문의 저주를 끊고 언약을 붙잡은 영적 서밋으로 서야 합니다. 그래서 부모가 붙잡은 평생의 미션, 언약의 여정을 남긴 기록물, 기도 응답 노트 등을 유산으로, 영원한 기념비로 남겨주시기 바랍니다. 그렇게 가정 안에 서밋의 씨앗을 심으면 서밋 열매가 열리고 세계와 시대를 살리는 언약 명문가로 숲을 이룰 수 있습니다.

명문가 시스템의 핵심은 '전통을 이어가는 것', 바로 우리 가정과 가문과 교회를 향한 언약 중심의 문화가 변질되지 않고 대대로 전달하는 것입니다. 그렇지 않으면 결국 사사기 시대처럼 '여호와를 알지 못하는 다른 세대(사사기 2장 10절)'가 나오고 또다시 재앙, 저주가 반복됩니다. 성경의 역사를 통해 미래를 미리 보며 자녀와 후대와 렘넌트에게 남길 언약의 유산을 우리 세대부터 준비하고 연구해야 합니다. 우리의 모습을 보고 자란 후대들도 우리처럼 언약의 여정을 간다면 세계 복음화, 237 복음화는 하나님의 약속대로 반드시 이루어지게 됩니다.

마치며

플랫폼이 되는 도전을 시작하라

요리사업가 백종원 대표는 '싱거운 맛은 모든 사람이 불평하지 않는 맛'이라고 했습니다.17) 누구든 자신의 입맛에 맞게 소금을 치면 되니까 굳이 불평하지 않습니다. 그러나 '싱거운 음식'으로는 절대로 고객을 끌 수 없다고 합니다.

백 대표만의 고객을 끄는 비법은 '간을 맞추는 것'이었습니다. 간을 맞추면 음식이 짜다는 항의가 들어오지만, 그것을 두려워하면 안 된다고 합니다. 간이 맞으면 다시 일부러 방문하는 사람들이 생긴다는 것입니다. 그러므로 모든 이의 입맛을 맞추려 하기보다는 어느 한쪽타깃층의 입맛에 맞춰야 사업은 끌어올려진다고 합니다.

마찬가지로 제 이야기는 모든 사람을 만족시키는 데 목적을 두지 않았습니다. 모든 사람보다는 '정말로 자신의 문제에서 벗

---

17) 백종원(2016). 『백종원의 장사 이야기』. 서울문화사.

어나고 싶은 분'에게만 초점을 둔 것임을 다시 한번 밝힙니다. 저뿐만 아니라 여러분도 자기만의 타깃전도 대상자을 정해 그 사람을 살리기 위한 준비를 지금부터 하셔야 합니다.

요즘 AI 기술이 급격하게 발전하고 있는데, 4차산업이 가속화될수록 그 후유증으로 우울증 같은 정신질환, 영적 문제도 가속화될 것입니다. 그 시기는 위기인 동시에, 여러분이 활약할 수 있는 절호의 기회입니다. 이 사실을 알고 지금부터 그때를 준비해야 합니다.

'세계 복음화'가 찾아가는 전도·선교였다면, '237 복음화'는 찾아오게 만드는 전도·선교입니다. 237 복음화를 다른 말로 하면 '플랫폼 전도'입니다. 여러분이 과거의 상처를 복음으로 재해석하여 여러분만의 이야기증인 문서로 재창조한다면, 그 이야기는 많은 사람을 살리는 플랫폼이 됩니다. 여기에 여러분의 전문성까지 더해진다면 더 큰 전도·선교의 문이 열립니다. 이것이 바로 하나님께서 우리에게 주신 마지막 미션입니다. 제가 체험했던 '우울증이 희망으로 바뀌는 순간'을 여러분도 꼭 체험하시길 바라며, 여러분만의 전도·선교 플랫폼을 만들기 위해 24시간을 '서밋타임'으로 누리시길 바랍니다. 그래서 여러분의 인생 스토리를 증인 문서로, 인생 자체를 영원한 작품으로 남기시길 응원합니다.

우울증이 **희망으로** 바뀌는 순간

금토일시대 기념 개정증보판

초판 1쇄 발행 2022년 5월 16일

개정증보판 1쇄 발행 2024년 6월 30일

지은이 ┃ 신윤경

발행처 ┃ 서밋러닝

인쇄 ┃ 주식회사 부크크

출판신고 ┃ 2024년 1월 4일

주소 ┃ 경기도 부천시 원미구 부천로 370, 1동 501호

전화 ┃ 010-4471-7108

전자우편 ┃ worldviewchanger@naver.com

블로그 ┃ https://blog.naver.com/summitlearning

ⓒ 신윤경 2024

ISBN 979-11-986497-2-0 (03230)